# Cofiwch Olchi Dwylo
## a negeseuon eraill

*Geraint Lewis*

Argraffiad cyntaf: 2021
ⓗ testun: Geraint Lewis 2021

Rhif Llyfr Safonol Rhyngwladol:
978-1-84527-792-5

CYNGOR LLYFRAU CYMRU

Cyhoeddwyd gyda chymorth Cyngor Llyfrau Cymru

Cynllun clawr: Bedwyr ab Iestyn / almonia.co.uk

Cyhoeddwyd gan Wasg Carreg Gwalch,
12 Iard yr Orsaf, Llanrwst, Dyffryn Conwy, Cymru LL26 0EH.
Ffôn: 01492 642031
lle ar y we: www.carreg-gwalch.cymru

*i Siân*

# Diolchiadau

Hoffwn ddiolch i Nia Roberts a holl staff Carreg Gwalch am eu cymorth wrth hwylio'r llyfr trwy'r wasg. Mawr yw fy niolch i'r dylunydd Bedwyr o gwmni Almon am gynllun trawiadol y clawr.

Diolch i Wil Roberts a Catrin Dafydd am ddarllen y gwaith ac am eu hanogaeth hael. Hefyd i Marlyn Samuel, beirniad Cystadleuaeth Gwobr Stori Fer Tony Bianchi 2019, am gael defnyddio'i geiriau ar y clawr.

Yn olaf, diolch am yr Ysgoloriaeth Awdur Llenyddiaeth Cymru, a noddir gan y Loteri Genedlaethol trwy Gyngor Celfyddydau Cymru, wnaeth fy helpu i gwblhau'r gyfrol hon.

# Cynnwys

# Siopwch yn Gyfrifol

Ma' nhw i gyd yn syllu arna i a rhai ohonyn nhw'n pwyntio a
hyd yn oed chwerthin ond sdim ots 'da fi so wat bo' fi'n gwisgo
gorchudd pen Nathan fy mab saith oed yr un Buzz Lightyear o
*Toy Story* wedi ei addasu pan wy'n siopa yn yr archfarchnad fach
achos wy'n gwybod beth sy'n dod ac erbyn wythnos nesaf bydd
pawb yn cael eu gorfodi i wisgo masgiau siŵr o fod ta beth fel
ma' nhw'n gwneud mewn llwyth o wledydd yn barod gewch chi
weld a welwn ni pwy sy'n chwerthin wedyn ife ac wy wedi
edrych ar-lein i weld y symptomau i edrych mas amdanyn nhw
yn barod a nage jyst peswch sych neu dymheredd uchel yw e
achos un o'r prif rai falle fydd dolur rhydd felly wy wedi llenwi
un troli jyst â phapur tŷ bach a diolch byth bod Debbie wedi
addo dod â'i fan Mrs Mop rownd er bod hi dal â pheth o'n stwff
gwaith ni ynddi achos 'sen i byth yn gallu gwneud siop mowr
fel hyn a chael e gartre heblaw 'nny a Duw a ŵyr pryd fyddwn
ni mas nesa achos ma' ryw gyhoeddiad arbennig yn dod dydd
Llun gan Boris Johnson ac yn ôl y sôn ma' fe'n mynd i ddweud
wrth bawb am aros gartre a nage jyst pobol hen bregus chwaith
'na beth ma' pawb yn ddweud ta beth ac mae'n rhaid bod
pethe'n wael cyn bo' nhw wedi canslo'r rygbi yn erbyn yr Alban
penwythnos diwetha achos fydden nhw heb wneud 'na oni bai
bod rhaid rhaid rhaid iddyn nhw ac ma' nhw'n cau'r tafarnau a
phopeth a bydd 'na'n ergyd i Dad nage bod e'n yfed gymaint â
'nny am ei oedran pan ma' fe 'na ond ma' fe'n dwlu mynd i'r
Angor achos bod e'n dod mlaen mor dda 'da'r landlord Eifion
ac ma' fe'n mynd 'na am y cwmni hefyd a'r bêl-droed ar y teledu

achos ma' 'da nhw BT Sport yn ogystal â Sky ond bydd dim pêl-droed chwaith nawr felly sa i wir yn gwybod shwt bydd e'n ymdopi bod yn sownd rhwng pedair wal jyst gyda fi a Nathan a Rhian fach achos bydd eisiau iddo fe fod yn ddisgybledig ac aros gartre oherwydd ei asma gwael ond yn anffodus ma' fe'n diodde o ants in your pants hyd yn oed gwaeth na'r asma ac yn ffaelu aros yn llonydd am bum muned heblaw ei fod e lawr y dafarn ar ôl diwrnod hir yn ffitio cegin neu fathrwm a'r dwst mân yn mynd i'w ysgyfaint ta beth cyn bod unrhyw sôn am feirws a Mam pan oedd hi dal yn fyw yn treial ei gorau glas i'w gael e i ymddeol achos 'dyw blawd llif ac asma ddim yn gyfuniad da ond achos bod e cystal saer a wastad galw am ei wasanaeth ro'dd y gair ymddeol yn mynd mewn trwy un glust a mas trwy'r llall ond falle bydd e'n dda adre gyda ni nawr yn cael ei orfodi i aros yn llonydd gan ei fós Gruff pwy a ŵyr falle bydd e'n gallu helpu fi i ddysgu'r plant achos ma' nhw'n dweud bod yr ysgol yn mynd i gau a phopeth ac o leia bydd bach o amser ar fy nwylo i achos ma' Debbie wedi dweud yn barod bydd Mrs Mop yn cael ei effeithio'n wael achos prif contracts ni yw glanhau tai haf yn y sir ac ambell swyddfa ac er y byddech chi'n meddwl byddai pobol moyn glanhau pethau mwy nawr nid llai does neb moyn ni yn eu hadeiladau achos bydd y twristiaeth yn stopi am y tro a'r swyddfeydd yn cau wrth i bobol weithio o adre a sa i'n gweld bai ife wrth gwrs bod yn saff yw'r peth mwya nawr a phobol moyn safio arian hefyd a bydd ddim hawl gyda ni i fynd i unman ar ôl dydd Llun hyn ta beth yn ôl Debbie a sa i moyn risgo dala unrhyw beth a'i roi i Dad a bydd fy ngwaith rhan amser tu ôl i'r bar yn y Llew Coch yn dod i ben hefyd Duw a ŵyr beth y'f i'n mynd i wneud ac am bwy mor hir mae'r peth hyn yn mynd i bara ac wy'n towlu sawl tun o pineapple rings mewn i'r troli arall gan taw dyna favourite Ryan jyst gwneud e mas o habit mwy na dim byd arall achos ma' fe'n cael e gyda phopeth nage jyst pizza neu facwn neu fel pwdin ar ben ei hunan ond gyda curry sauce a jacket potato neu wy hyd yn oed wedi gweld e'n gwneud brechdan pineapple y diawl dwl ag e ac ie wrth gwrs bod e'n hollol hurt i fi brynu'r tuniau nawr pan dyw e ddim gyda ni a fe wedi ei gloi yn ei gell ond gawn nhw ddim eu gwastraffu ac ma' nhw'n gwneud i fi deimlo'n well yn agosach iddo fe rywsut jyst wrth edrych arnyn nhw wedi eu pentyrru lan yn erbyn ochr metal sgleiniog y troli yn sydyn mae'n bwrw fi fel ergyd yn y stumog yr ysfa hon i'w weld e ac ie wrth gwrs bo' fi'n gweld eisiau fe ac ie wy'n gwybod bod Dad yn ei gasáu e am yr hyn wnaeth e a'r gwarth i'r teulu i gyd ei fod e yn y carchar a phopeth ond wy'n dal i garu fe ac wy moyn i'r plant wybod bod eu tad nhw'n ddyn da yn y bôn dyn da wnaeth un camgymeriad ac mae e'n cael ei gosbi am hynny a phan weles i fe ddiwetha oedd e'n edrych yn denau denau denau a dim tenau da chwaith ond tenau dost yr olwg ac wy'n siŵr bod e ddim yn edrych ar ôl ei hunan ac yn rhoi amser caled i'w hunan hefyd am beth ddigwyddodd a meddwl am shwt alle fe fod wedi gwneud pethau'n wahanol ac es i â rhai ffotos newydd i ddangos iddo fe rhai o'r plant gyda fi ar Draeth y De a Dad yn gwrthod bod yn unrhyw un ohonyn nhw os o'n i'n mynd i ddangos nhw i Ryan a Ryan druan mor falch i weld y rhai bach hyd yn oed jyst mewn ffoto wy'n gwybod bod e'n misio gweld nhw'n altro a thyfu lan mor glou ac oedd e'n gwneud bach mwy o ymdrech tro hyn i gael sgwrs fach mwy nag arfer ta beth ond o'n i'n gwybod bod rhywbeth o'i le hefyd ac mae'r carcharorion yn Abertawe i gyd yn disgwyl byddan nhw'n dweud wrthyn nhw i aros yn eu celloedd siŵr o fod lot hirach nag arfer a falle bydd fisito yn dod i ben yn gyfan gwbwl ond Duw a ŵyr os yw 'na'n wir neu beidio achos mae cymaint o sïon yn hedfan o gwmpas y lle 'mbytu popeth ac wy'n rhoi sawl torth o fara wedi eu sleisio'n barod mewn i'r troli gan wybod bydd y freezer wedi ei stwffio reit lan i'r top nes bydd e'n siŵr o dorri ond well chwarae'n saff a chael gormod na dim digon er bod rhyw hen fenyw sur gyda sbectol drwchus a gwallt llwyd llipa yn twt-twtio wrth fy ymyl i nawr ond sa i'n becso dam ma' raid i fi edrych ar ôl fy nheulu ac wy'n poeni mwy am Dad mewn gwirionedd na Ryan neu'r plant achos ma'i asma fe wir yn wael ac ma' fe ar yr

inhaler brown y steroids cryf ddwywaith y dydd fel mae hi er
bod e'n smocio fel simnai hefyd wrth gwrs ond wy'n credu se
fe'n rhoi ei sigaréts e lan yn ei oedran e byddai hynny'n lladd e
ta beth jyst sioc y peth yn ddigon a dyw e ddim yn hawdd rhoi'r
gorau iddi chwaith Duw a ŵyr wy wedi treial fy hunan ond ma'
fe'n ymlacio fi sdim dwywaith am 'na cael ffag pan y'f i dan
bwysau a ni i gyd yn mynd i fod dan bwysau am rai wythnosau
neu fisoedd hyd yn oed wedon nhw ar y wefan weles i felly dyw
stopi'r ffags ddim yn mynd i fod yn opsiwn sa i'n credu ddim i
fi ta beth a pham ar y ddaear bod y goleuade yn y lle 'ma mor
llachar wastad mor mor mor llachar mewn fan hyn nes bo'
nhw'n gwneud dolur i'ch llygaid chi ac yn rhoi pen tost i chi
neu'n gwneud i chi weld sêr bach ac wy'n gwneud nodyn bach
i'n hunan yn fy mhen i fynd i adran y freezer olaf rhag ofn bydd
Debbie'n hwyr gyda'r fan sa i moyn gweld twb mowr o hufen iâ
yn diferu ar y pafin fel paent ac wy'n falch gweld bod bach mwy
o panic shoppers o gwmpas nawr 'na beth ma' nhw'n galw ni ar
y newyddion fel se hi'n rong i banicio pan mae'r byd fel y'n ni'n
gyfarwydd ag e falle yn dod i ben ond ma' 'na rai eraill fel fi nawr
ta beth gyda mwy nag un troli draw wrth y llysiau a'r ffrwythau
yn towlu bananas ac afalau mewn i'w trolïau fel 'sen nhw'n rhoi
nhw i ffwrdd am ddim felly o leia wy ddim yn sefyll mas fel
rhwbeth hanner call a dwl rhagor wel ddim cweit gymaint ta
beth er wy bownd o fod tamed bach hefyd gyda chwrls golau fy
ngwallt wedi fflatio'n wlyb sopen a 'ngwyneb fel tomato tu ôl
i'r gorchudd plastig wy mor dwym ar ôl dala'r haul a llosgi
'nhrwyn pan gwympais i gysgu bore 'ma yn y deckchair yn yr
ardd o'n i wedi blino shwt gymaint wedi llwyr ymlâdd heb gysgu
llygedyn bron neithiwr gyda Rhian mewn gyda fi yn y gwely yn
gofyn pethau fel a oes miloedd yn mynd i farw a finne'n dweud
wrthi am beidio bod yn ddwl ond oedd hi wedi pigo lan ar
rwbeth oedd hi wedi gweld ar y teledu ac mae'n amlwg yn becso
druan â hi dim ond yn bump oed felly oedd e'n neis i roi cwtsh
iddi peth cynta heddi gyda fi'n hanner cysgu hanner ar ddihun
a Nathan yn dod mewn yn ei byjamas *Toy Story* jyst yn sefyll

wrth y drws ac wy'n becso 'mbytu fe hefyd achos wy'n dueddol o wybod ble wy'n sefyll gyda Rhian a hithau'n fwy agored yn ffaelu cwato dim ond mae Nathan yn cwato'i deimladau yn dda ac yn ddwy flynedd yn hŷn a hynny yn gwneud gwahaniaeth mowr wy'n credu bod e wedi amgyffred beth sy'n digwydd ac mae hi'n ddigon gwael i ni'r oedolion ond Duw a ŵyr beth sy'n mynd ymlaen ym mhen bach Nathan druan gyda phlant yn yr ysgol wedi bod yn chwarae gêm am y feirws yn cael cystadleuaeth i weld pwy allai ddala eu hanadl hiraf ac wedyn yn mynd yn goch i gyd ac yn biws wedodd e yn treial dangos i fi ac yn esgus llewygu achos 'na beth sy'n digwydd wedodd e chi'n pasio mas achos 'na'r ffordd mae'r feirws yn eich lladd chi yn mynd â'ch anadl oddi wrthych chi wedodd e a chi'n teimlo mor wael yn y diwedd chi'n rhy wan i hyd yn oed peswch a rhaid plygio chi mewn i ryw beiriant sy'n anadlu ar eich rhan chi a wel beth allwn i ddweud o'n i ddim moyn dweud celwydd wrth y crwt ond wy ddim moyn iddo fe gael hunllefau chwaith felly wylion ni *Toy Story 4* eto am y canfed tro'r tri ohonon ni wedi gwasgu'n agos jocôs ar y soffa gyda Dad yn pipo mewn wrth y drws ar un adeg hefyd yn canu'r hen gân 'You've Got A Friend In Me' yn wafio ei ddwylo 'nôl a mlaen gyda'r geiriau If you've got troubles I've got 'em too There isn't anything I wouldn't do for you a hynny'n gwneud i'r plant chwerthin ond yn bwrw fi yn fy ymysgaroedd ac mae meddwl am Dad yn gwneud i fi stopi ar bwys y Marmite ma' fe'n dwlu ar Marmite ond wy ffaelu diodde'r peth er ma' fe'n dweud bod hynny achos wnes i roi gormod ohono fe ar ddarn o dost un tro pan o'n i'n groten fach a thra bo' fi draw wrth y silff hynny wy'n cael bach o peanut butter i Nathan hefyd achos bod e'n dwlu arno fe ac yn bwyta fe'n syth o'r jar weithiau fel 'se fe'n hufen iâ neu rwbeth ac wy ar bwys y pethau glanhau nawr a sdim lot o'r antibacterial sanitizer ar ôl felly wy'n gafael yn y pump sy'n weddill a'u rhoi nhw'n glou yn y troli ac mae hen gwpwl tu ôl i fi'n edrych yn grac gyda'r fenyw hyd yn oed yn tynnu ei hanadl i mewn yn glou mewn sioc fel 'sen i wedi tagu cath neu rwbeth felly wy'n gosod un o'r poteli antibacterial sanitizer 'nôl ar y silff show willing ife a chydio mewn pecyn chwech o fariau sebon cyffredin yn lle hwnnw sydd dal ddim yn ddigon i'r hen bâr gyda'r dyn erbyn hyn yn edrych fel 'se fe'n fil o flynyddoedd oed gyda'r hen groen rhydd salw 'na o gwmpas ei wddwg yn gwneud iddo edrych fel twrci ie'r dyn erbyn hyn yn ysgwyd ei ben ac wy'n teimlo fel gofyn iddo fe beth yw'r broblem ond wy ddim moyn mynd yn rhy agos iddo fe na cholli fy ffocws chwaith felly wy'n casglu cwpwl mwy o eitemau yn cynnwys y cylchgrawn Heat a chi ffaelu cael gormod o laeth y'ch chi felly wy'n cydio mewn pedwar llaeth dou litr achos ma' nhw ar gynnig arbennig os chi'n prynu dou ar y tro ta beth a chi'n gallu rhewi nhw wrth gwrs ac yna wy'n clywed sŵn blîp bach ar fy ffôn ac yn gweld Debbie drwy'r ffenest yn y fan tu fas bach ynghynt nag o'n i'n disgwyl felly wy'n rhuthro draw i adran y freezer i gael dou dwb mowr o hufen iâ a bocs o Cornettos dou fag mowr o bys tri bag mowr o tsips a dou becyn dou ddwsin o fish fingers cyn i fi lwyddo i wneud fy ffordd draw i'r til yn ofalus gyda dou llond troli yn symud nhw fel 'sen nhw'n gerbydau HGV wide load yn ara deg gan bwyll bach lan i'r checkout lle mae 'na giw a mwy o bobol yn syllu arna i fel 'se cyrn 'da fi yn cynnwys Mandy tu ôl i'r til oedd yn yr ysgol 'da fi ac mae ganddi fasg glas golau mlaen sy'n gwneud iddi edrych bach fel dental assistant ac mae'n pwyntio at yr arwydd wrth ei hymyl â'i bys a hwnnw'n dweud Siopwch Yn Gyfrifol ond wy eisoes wedi sylwi ar y wên yn ei llygaid mowr brown wrth iddi wneud hyn felly wy ddim yn ymateb i'w gwatwar ac yn cadw wyneb dwys tu ôl i'r gorchudd ac wy jyst moyn diflannu mor glou ag y galla i o'r Siop ac wy'n llwyddo yn y diwedd i roi'r eitemau drwy'r til ac i dalu'r bil o dros gant saith deg o bunnoedd gyda charden credit Dad ac wedyn mae Debbie'n helpu fi lwytho'r fan sydd ar linell felen jyst rhyw fymryn lawr o'r archfarchnad erbyn hyn yng nghanol dre wedi bancio ar y pafin felly well i ni siapio hi rhag ofn gewn ni ein cosbi a thrwy'r amser mae hi'n helpu fi i stwffio pethe mewn i'r fan mae Debbie'n mynd mlaen a mlaen a mlaen am ryw eitem welodd hi ar y newyddion amser cinio 'mbytu'r Eidalwyr truenus yn cwympo fel pryfed a bod ei Graham hi yn becso'n dwll y bydd ei fenter go-carts ar Cae Gwaelod sydd fel arfer yn agor ar benwythnos y Pasg ar gyfer yr haf ddim yn agor o gwbwl eleni ac er mwyn codi ei chalon ac fel diolch iddi hi am fy helpu i ddadlwytho yn y tŷ wy'n dweud wrthi am alw nes mlaen am hanner awr fach ar ôl i fi roi'r plant yn y gwely am gwpwl o gans ac wedyn ar ôl cyrraedd adre wy'n slipio lasagne mewn i'r ffwrn ar gyfer ein swper a gwneud salad bach i fynd gydag e a rhoi rhai tsips yn y ffwrn hefyd ac ma' jyst y pentwr anferth o stwff wy wedi'i brynu wedi ticlo Dad rhai pethau wy erioed wedi'u prynu o'r blaen yn fy mywyd fel tun o chilli con carne a tun o gyrri chicken korma a phob math o gawl paced oedd ar gynnig arbennig a sach mowr deg cilogram o datw ac mae Dad yn tynnu fy nghoes yn gofyn a ydw i wedi cael tip-off am ryw nuclear missile sydd ar y ffordd neu rwbeth achos dyw e erioed wedi gweld gymaint o fwyd a phapur tŷ bach ac er i ni gael gwd laff 'mbytu fe ar ôl i fi roi bath i Nathan a Rhian a'u rhoi nhw i'r gwely wy'n treial cael gair iawn gyda Dad wrth roi ei garden credit 'nôl iddo fe 'mbytu pwy mor ddifrifol yw'r feirws hyn sy'n dod a bod angen iddo fe ofalu ar ôl ei hunan ac aros tu fewn ond rywsut neu'i gilydd mae'r geiriau i gyd yn dod mas yn rong fel 'sen i'n gofyn iddo fe garcharu ei hunan yn y tŷ ac mewn dim o dro mae enw Ryan yn codi ac wy'n mynd amdani ac yn dweud pan ddaw Ryan mas o'r carchar diwedd y flwyddyn licen i iddo fe ddod 'nôl aton ni fan hyn eto i dŷ Dad ond mae hyn yn ei wylltio ac wy ddim moyn i bethe fynd dros ben llestri ond 'na beth sy'n digwydd wrth i Dad ddweud bod e'n ffaelu maddau i Ryan am yrru car dan ddylanwad cyffuriau ac alcohol a lladd seiclwr canol oed oedd yn dad i ddou o blant wrth i hwnnw wibio i lawr y rhiw i mewn i'r dre a Ryan ar ochr rong yr hewl oedd yn ddigon drwg ynddo'i hunan ond yna cyflawni hit and run ar ben hynny a dod i stop a pharcio'i gar ym maes parcio'r Clwb Rygbi fel 'se dim byd wedi digwydd ond yn anffodus i Ryan oedd 'na dystion i'r hyn ddigwyddodd a galwon nhw'r gwasanaethau brys a wnaeth yr heddlu rhoi breathalyser iddo fe wrth iddo fe bron yn syth treial dianc yn ei gar o fewn munudau i'r digwyddiad er mwyn treial cwato tystiolaeth y ddamwain ar baent y car ac ie wrth gwrs gallai Ryan fod wedi gwneud pethe mewn ffordd wahanol wedi ymddwyn yn well nag y gwnaeth e ond wnaeth e gael ofn a phanicio ac fel mae'n digwydd oedd y seiclwr druan wedi ei ladd yn syth ta beth felly doedd dim byd alle fe fod wedi'i wneud ond mae Dad yn ffaelu madde ei ymddygiad llwfr y diwedd prynhawn hwnnw ond yn waeth na hynny dyw e ddim yn gallu madde'r pwysau aruthrol a'r stress roiodd e ar Mam a finne gyda fi â dou o blant bach dan bedair oed ar y pryd ac wy'n gwybod bod e'n beio Ryan am golli Mam yn y ffordd wnaethon ni sydd ddim yn gwneud synnwyr ond ma' fe wedi argyhoeddi ei hunan fod stress yr holl gyfnod wedi achosi'r dwymyn ar yr ymennydd wnaeth ladd Mam yn bump deg wyth oed ac er i fi fegian arno fe a'i dynnu fe 'nôl yn gorfforol o'r drws cefn ma' fe'n benderfynol o weld ei ffrindiau yn yr Angor yn yr ystafell fach cwtsh er bod pob cyngor yn dweud i beidio gwneud y fath beth ond ma' fe moyn cwrdd un tro ola cyn iddyn nhw gau lan am wythnosau i helpu Eifion waredu'r stoc achos bydd rhai casgenni'n mynd yn wastraff mae'n debyg felly pan ddaw Debbie heibio a ni'n cael pobo Cornetto a chan o lager wy'n amlwg yn llawn consýrn gyda hi yn syth 'mbytu Dad ddim yn cymryd y feirws hyn ddigon o ddifri ac mae Debbie'n treial cael fi i ymlacio yn dweud nage plentyn yw Dad ond dyn chwe deg oed yn ei iawn bwyll a ddyle fe fel pawb arall gael yr hawl i wneud ei gamgymeriadau ei hunan ac wy'n ateb bod hynny'n iawn ar un olwg ond gallai'r camgymeriadau bydd e'n wneud yn ystod yr wythnosau nesaf neu hyd yn oed heno nawr fynd â'i fywyd e a nagyw e fel 'se fe wedi derbyn difrifoldeb yr hyn sy'n dod o gwbwl ond mae Debbie jyst yn codi ei hysgwyddau a dweud bod rhaid i fi dderbyn e am yr hyn yw e ac wy'n gallu gweld bod hi'n iawn ife wrth gwrs bod hi ac yn hwyr y noson honno wy yn y gwely gyda Nathan wedi ymuno â fi a Rhian a'r ddou ohonyn nhw'n cysgu'n drwm drwm drwm pan glywa i Dad yn dod lan y staer gyda'r synau gwichlyd arferol ar y bedwaredd a'r seithfed a'r degfed ris a'i tsiest truenus e'n tynnu fel hen fegin ac wy'n dala'r rhifau glas ar y cloc radio digidol sy'n dweud bod hi'n gwarter i un ac wy'n pendroni am eiliad a meddwl ody Ryan ar ddihun nawr hefyd tybed yn ei gell yn meddwl am ei Mad Donna fel mae e'n fy ngalw i neu Kebab weithie os yw e mewn hwyl ddrwg ac wy'n clywed Dad yn crasio 'mbytu'r lle yn y bathrwm dario ife sŵn fe'n cwmpo oedd hwnna wy ddim yn siŵr achos mae ryw bum eiliad hir o dawelwch ond dim griddfan diolch byth a wy ddim wir moyn codi a dihuno'r plant nes o'r diwedd wy'n clywed e'n peswch ac yn tynnu'r drws ynghau ar ei ôl yn ei ystafell wely ei hunan ac wy'n treial setlo am y noson yn gwrando ar y tonnau yn taro yn erbyn wal yr harbwr ond er i fi dreial cysgu mae fy llygaid ar agor led y pen ac wrth i'r tonnau daro yn eu patrwm cyfforddus rheolaidd wy'n meddwl am rwbeth ddwedodd Debbie'n gynharach sef bod 'na ffrind i Graham sy'n ddoctor yn yr ysbyty yn Aberystwyth a bod hwnnw wedi dweud y byddai'r pandemig falle yn para am fisoedd a byddai lot fawr o farwolaethau erbyn yr hydref a bod rheiny wedi eu cyfuno â marwolaethau arferol y ffliw diwedd y flwyddyn yn golygu na fyddai'r NHS yn gallu ymdopi â'r straen i'r system ac wrth i fi gwtsio Nathan un ochr i fi a Rhian ar yr ochr arall yn falch 'mod i wedi llwyddo i wneud un siop fowr o leia yn sydyn wy'n cofio bod y gwanwyn ar fin cychwyn ac mae e fel arfer wedi ei gysylltu â'r fath obaith a ffresni a dechre pethe o'r newydd ond y tro hwn 'na'i gyd wy'n gallu meddwl 'mbytu yw'r dyfodol a hwnnw'n ddyfodol bregus yn llawn ansicrwydd.

# Arhoswch Gartref

Wy'n chwarae 'Für Elise' ar y piano yn yr ystafell ffrynt yn fy ffordd garbwl, araf fy hun. A hynny cyn saith o'r gloch ar fore gwanwynol. Byddai 'gwenwynol' yn air mwy addas i ddisgrifio'r cyfnod rhyfedd hwn, i'n teulu ni ac i bob teulu arall yn y byd sy'n gochel dan gwmwl hyll anweledig Covid-19.

Cawsom ein gofid-19 ein hunain llynedd pan oedd Owain newydd droi'n bedair ar bymtheg oed. Wy'n dal i dorri mas yn got o chwys pan wyf yn ail-fyw geiriau'r ymgynghorydd, Mr Roberts, tu fas i'r theatr yn ysbyty Treforys am chwech o'r gloch y bore hwnnw o Chwefror.

'Ni wedi 'neud ein gorau ond mae eich mab yn ymladd am ei fywyd.'

Sylwaf ar fy wyneb dryw bach yn y drych, y straen ar fy nhalcen yn haenau hen nodiant. Ie, 'dyw e ddim fel 'sen ni heb gael ein siâr o bryder yn ystod y flwyddyn ddiwethaf yn barod.

Elgan Parry, heddwas ifanc lleol oedd yn nabod Owain yn iawn, alwodd yn y tŷ yn hwyr y nos Sadwrn honno. O'n i wedi mynd i'r gwely. Wy'n licio meddwl 'mod i'n breuddwydio am Owain pan ganodd y gloch. Yn chwarae gydag ef ar y traeth pan oedd e'n iau. Taflu ffrisbi at ein gilydd, yr haul yn disgleirio. Rhywbeth diniwed, pleserus. Ond wy'n ofni taw fy mhen sy'n chwarae triciau â mi. Mae'n gwneud lot o hynny yn ddiweddar. Yn cynnig cysuron di-sail.

Ceisiaf ganolbwyntio ar fy mysedd wrth daro'r du a'r gwyn cyfarwydd. Dilynaf y copi *I Can Play That!* (*Classics*) yn dra gofalus. Am y tro gwna'r nodau'r tro. Yn wir, maent yn gysur rhyfeddol. Ac i feddwl bod y meistr, fel mae Owain yn mynnu galw Beethoven, yn ystyried y fath gampweithiau, ei *bagatelles*, yn rhyw bethau bach ysgafn ffwrdd-â-hi.

'Se'n well 'da fi o lawer petai Owain ei hun yma yn fy lle i yn eistedd ar stôl y piano, fel roedd e'n arfer wneud yn aml. Yn chwarae'r union ddarn yma weithiau hefyd, o'i gof, gan ei fod e'n gwybod 'mod i'n ei hoffi. Ond ers yr ymosodiad 'dyw e ddim wedi cyffwrdd yn y piano. Mae'n ei chael hi'n anodd canolbwyntio.

Ond mae'n gallu canolbwyntio ar ambell beth yn iawn hefyd. Bod yn obsesiynol, hyd yn oed. Y pentwr plastig yn y Môr Tawel yw'r chwilen ddiweddaraf yn ei ben bregus. Yn ceisio creu argraff ar ei chwaer hŷn. Graddiodd Nia mewn Daearyddiaeth yn Aberystwyth ac mae'n gweithio erbyn hyn i Gyfoeth Naturiol Cymru yng Nghaerdydd. Cafodd y ddau eu magu â chyfoeth naturiol Cymru o'u cwmpas yn feunyddiol yma yng nghanol Ceredigion. Dyna sy'n mynd trwy fy meddwl i pan glywaf y gwynt yn chwythu tu fas. Taflaf gipolwg trwy'r ffenest i sicrhau nad yw'r dŵr yn dod dros wal yr harbwr. Mae golau'r haul cynnar yn dawnsio yn y dŵr fel diemwntau bach llachar, y môr bron â chyrraedd ei benllanw. Sylwaf ar ambell sblash cyffrous yn llamu dros y pafin, yn gwasgaru'n ewynnog ar hyd coesau'r fainc gyferbyn â'n tŷ ni.

Dylai beri gofid. Dylai wneud i mi feddwl am gynhesu byd-eang. Am y domen heli llawn sbwriel, y staen ar ddynoliaeth yn y Môr Tawel. Ond y gwir plaen yw fy mod i'n cael gwefr o'r profiad. Yn falch fod rhythmau natur yn eu holl gymhlethdod yn llythrennol ar garreg fy nrws.

Heb droi rownd synhwyraf fod Owain y tu ôl i mi yn gwrando ar fy ymdrech dila ar y piano. Gwelaf o'r drych 'i fod e'n dal yn ei ŵn wisgo a'i sliperi. Mae ganddo fỳg o goffi yn ei law dde, yn offrwm heddwch o fath, yn dilyn ffrae fawr neithiwr.

Ieuan, ei dad, oedd yn benwan gydag ef am fynd i gwrdd â'i ffrindiau wrth wal yr harbwr i yfed caniau cwrw, un ffarwél olaf yn dilyn y cyhoeddiad rai diwrnodau'n ôl i bawb aros gartref.

Er i Owain honni ei fod e a'i ffrindiau wedi cadw pellter diogel roedd ei dad yn gynddeiriog ei fod e wedi peryglu ei hun yn ddiangen i'r felltith ficrosgopig.

Yn torri'r cytundeb wnaethom fel teulu.

Ond ei dad oedd yn grac, nid fi. Tynnaf fy nwylo'n ôl o'r allweddau a throi i wynebu fy mab â gwên.

'Paid stopi,' medd yn ei lais dwfn. Edrychaf arno, yn gwlffyn cyhyrog chwe throedfedd. Sut ar y ddaear allai deryn bach fel fi ddod â'r fath dalpyn o beth i mewn i'r byd? Craffaf ar ei lygaid glas croyw, yn union yr un lliw ag yr oedden nhw pan gafodd ei eni, dros ugain mlynedd yn ôl nawr.

Bu bron iddo fy lladd yr adeg hynny hefyd. Y ceulo yn un o wythiennau'r ysgyfaint wedi gadael ei ôl arnaf am byth. Dyna achos yr holl ofal. Y gorofal. Bod fy ysgyfaint bregus, fel macyn papur, yn llawn perygl. Does dim rhaid bod dros saith deg i ganfod eich hun mewn categori risg uchel os yw'r feirws yn dwgyd eich anadl.

'Sori am neithiwr,' medd, wrth roi'r mỳg *There is no Planet B* i lawr ar y ford goffi.

Codaf fy ysgwyddau yn ddi-hid. Aiff Owain 'nôl i'r gegin, a gwyliaf gefn ei ben eto fyth, y ddwy linell wen fwaog sy'n torri ar draws düwch llwyr ei wallt yn dal i fy synnu bob tro. Fflach y gwynder disglair mor annisgwyl, bron fel cipolwg sydyn o fochyn daear gyda'r nos.

Dirgelwch ei stori wedi ei gwato rhwng cromfachau gwyn.

Yn nyfnder y nos, pan lwyddaf i gysgu o'r diwedd, a rhwng bloeddiadau dychrynllyd o'm hisymwybod, dychmygaf y Môr Tawel yn grwgnach, yn gwarafun ei graith erchyll. Wy'n gweld ymennydd brau Owain fel rhywbeth tebyg. Wedi clogio lan. Yn ddryswch sawl biliwn o niwronau wedi tanglio'n blith draphlith yn lle biliynau o ddarnau plastig mân yn ymestyn yn un cawdel brwnt.

Peth hardd wedi ei halogi.

Dyw Owain ddim yr un peth ag oedd e. Rhybuddiodd yr ymgynghorydd y gallai ei bersonoliaeth newid. Mae e *wedi* newid. Mae e'n fwy eithafol ei *mood swings*. Roedd e'n un eithaf croch ta beth, wna i ddim gwadu hynny. Cecrus hyd yn oed. Ond mae'n fwy byrlymus fyth nawr. Neu'r eithaf arall weithiau. Yn dawedog, tawel, mewnblyg. Fel mae e y bore 'ma. Mae hynny'n newydd.

Rhaid jyst diolch ei fod e'n fyw.

Gwrthoda Ieuan dderbyn fod ei fab wedi newid o gwbl. Euogrwydd am amgylchiadau'r ymosod sy'n gyrru hyn. Y ddau wedi mynd yn aml i ddilyn yr Elyrch yn Stadiwm Liberty dros y blynyddoedd. Owain, mas gyda'i gyd-fyfyrwyr yng Nghaerfyrddin, yn gwisgo sgarff y Swans. Y dafarn yn llawn ac Owain yn ei elfen, yn cyfeilio i'r canu hen emynau a chwarae caneuon y Beatles ar y piano. Dim ond yn ei flwyddyn gyntaf ond eisoes wedi gadael ei farc yn Ysgol y Celfyddydau Perfformio. Ei fryd ar fynd yn actor maes o law. Pam lai?

Aeth pethau'n rhemp erbyn diwedd y nos. Cyd-fyfyriwr o Gaerffili, cefnogwr yr Adar Gleision, yn bychanu sgarff Owain. Un peth yn arwain at y llall, yna'r ergyd tu fas ar ôl stop-tap, un giaidd o'r tu ôl, mae'n debyg. Ac Owain yn syrthio'n swp, fel sach o datw. Taro'i ben yn galed ar goncrit y pafin.

Ei dad yn beio'i hunan, er na ddywedodd hynny erioed. Ond wy'n nabod fy ngŵr. Byddai'n gweld bai am annog ei fab i fod yn aelod o lwyth, o gang, i ddangos ei ochr mewn modd mor anaeddfed. Byddai'r ddau'n siantio caneuon pêl-droed amrwd yn y car ar y ffordd adre. 'Who are ya? Who are ya?' Bach o hwyl. Ond maes o law, y chwarae'n troi'n chwerw, ac unwaith y sylweddolwyd difrifoldeb yr anaf fe'i trosglwyddwyd o Langwili i Dreforys. Parhaodd y llawdriniaeth dros bum awr. Driliwyd dau dwll yn ei benglog i ryddhau'r pwysedd. Draeniwyd yr hylif o'r gwaedlif yn ddeheuig gan Mr Roberts y niwro-lawfeddyg, a glanhawyd y meinwe niweidiol mor drylwyr â phosib.

Roedd Owain yn ôl adre gyda ni ymhen tair wythnos, yn dilyn cyfnod brawychus pan oedd mewn trwmgwsg dwfn yn ymladd am ei fywyd am dros wythnos. Cael a chael oedd hi, ond daeth e trwyddi diolch byth. Carcharwyd Adrian Elliot, ugain oed, am saith mlynedd am achosi niwed corfforol difrifol. Bu i ni gwrdd â'i rhieni edifar, ffein. Y fam, Sandra, yn nyrs, y tad, Andrew, yn drydanwr.

Daw Owain yn ei ôl, gyda darn o dost a jam ar ei hanner yn ei law, staen piws mwyar duon wrth ochr ei geg. Mae golwg wyllt, danbaid yn ei lygaid. Wy'n gwybod cyn iddo ddweud gair ei fod e'n mynd i sôn am domen sbwriel y Môr Tawel.

'Mae'r domen blastig yn y Môr Tawel dair gwaith maint Ffrainc! Tair gwaith! O't ti'n gwybod 'na?' medd, yn gynnwrf i gyd.

Oeddwn. Roeddwn i'n gwybod hynna. Mae Owain wedi dweud wrtha i droeon o'r blaen.

Mae e'n parhau ar ei don o frwdfrydedd heb aros am ateb.

'Ma' bron 'i hanner e yn rhwydi pysgota, nid plastig! Y rhwydi sy 'di dala'r plastig – yn lle pysgod! Ond maen nhw'n dala rhai pysgod hefyd, sy'n mynd yn sownd yn y plastig a'r rhwydi achos ma' gymaint o blastig. Ma' rhwng un a tri triliwn a hanner o ddarnau o blastig!'

'Ew!' meddaf, 'Wy ddim yn hollol siŵr faint yw triliwn.'

Daw'r ateb 'nôl ganddo fel ergydion o wn.

'Un dim dim dim dim dim dim dim dim dim dim dim dim. Miliwn miliwn. Un a deuddeg zero tu ôl iddo fe!'

Mae e'n gwenu ei wên lydan hyfryd ac yn ochneidio'n hunanfoddhaus. Alla i ddim peidio gwenu'n ôl arno.

'Wyt ti moyn tost?' gofynna'n frwd.

'Na, dim diolch. Dal bach yn gynnar i fi.'

'Ma' poteli plastig yn suddo i'r gwaelod yn glou ond ma'r bagiau yn cadw i fflôto ar y wyneb. Ac yn yr ardal 'na o'r Môr Tawel ma' tri chwarter deiet crwbanod y môr yn blastig. Maen nhw'n aml yn meddwl taw slefren fôr, *jellyfish*, yw'r bag plastig, t'wel.'

'Druan â nhw,' meddaf.

'Wibli-wobli!' medd, gan chwerthin fel cawr a phlygu ei gorff yn ddwbl.

Edrychaf arno'n syn, gan grychu fy nhalcen.

'Gair arall am *jellyfish* yw e. Wibli-wobli!'

Mae'r term yn un anghyfarwydd i mi.

'Ti'n siŵr?' gofynnaf.

Camgymeriad. Wy wedi anghofio nad yw'r Owain newydd hyn yn licio cael ei amau.

'Ydw! Wibli-wobli! Wibli-wobli! Wibli-wobli!'

Mae e'n taro'r ford goffi ag ochr ei law dde ar bob 'wibli' ac ar bob 'wobli', gan weiddi'r geiriau'n llawn dicter ataf am feiddio ei gwestiynu. Mae ychydig o'r coffi du yn neidio o'r mỳg gyda phob ergyd. Yn anffodus, daw Ieuan i mewn ar yr union eiliad hon. Mae e hefyd yn ei ŵn wisgo a'i sliperi.

'Paid gweiddi ar dy fam,' medd yn dawel gadarn.

Mae Owain yn snwffian yn swnllyd trwy'i drwyn fel tarw blin ac yna'n gadael yr ystafell, gan strancio'n ôl lan lofft heb yngan gair.

'Fi oedd ar fai,' meddaf, gan godi oddi ar stôl y piano.

'Paid cymryd ei ochor e trwy'r adeg!'

Mae min cas anghyfarwydd i'w lais ac mae'n dala fy edrychiad syn.

'Sori, Nerys. Aeth e'n rhy bell neithiwr. 'Se fe heb olchi ei ddwylo ar ôl bod mas chwaith 'sen i heb fynnu.'

'Alli di byth rhoi stŵr iddo fe drwy'r amser Ieu, fel 'se fe–'

Stopiaf cyn cwpla'r frawddeg, yn llwyddo i gnoi 'nhafod. Ond mae chwilfrydedd Ieuan wedi ei danio.

'Fel 'se fe beth?' gofynna'n daer, gan edrych i fyw fy llygaid.

'Fel 'se fe heb newid o gwbl.'

I gyfeiliant sŵn y gwynt edrycha Ieuan i ffwrdd ac mae'n cerdded draw at y ffenest ffrynt. Mae e'n aros am amser hir yno, yn edrych mas ar y dŵr heb yngan gair. Erbyn hyn mae olion ewyn melyn brwnt yn cofleidio traed rhydlyd y fainc gan eu troi'n garnau ceffyl gwedd.

'Yr unig beth sydd raid newid yw ei gwrs e,' medd o'r diwedd, mor dawel nes y gallai rhywun feddwl ei fod yn sibrwd iddo'i hun.

'Cwrs 'i fywyd e,' meddaf innau'n smala.

'Wnes i siarad â hen diwtor personol Nia yn Aber. Wy'n hyderus geith e ei dderbyn 'na i neud Daearyddiaeth. Gath e 'A' yn y pwnc yn ei Lefel A wedi'r cwbl.'

'Ti 'di gofyn beth lice Ows ei hunan neud?'

'Ma' fe wrth ei fodd â phethau fel cynhesu byd-eang. Bydd angen gwyddonwyr, pobol sy'n gallu asesu pethau amgylcheddol. 'Na'r dyfodol.'

'Ti'n lwcus bod ti'n gallu edrych i unrhyw ddyfodol.'

Mae'r geiriau wedi llithro mas, minnau'n methu eu hatal.

'Paid siarad fel'na!' medd Ieuan, yn gynddeiriog.

Dim ond ysgwyd fy mhen alla i wneud. Edrycha draw arnaf â'r lleithder yn cronni yn ei lygaid.

'Ti'n iawn. Sori. 'Sdim iws bod yn negyddol,' meddaf.

Wedyn dyma fy ngŵr yn rhoi ei fraich amdanaf ac yn gafael ynof yn dynn.

'Wy ddim moyn colli ti hefyd.'

'Ti ddim wedi colli Ows, Ieu. Ma' fe jyst yn wahanol, 'na'i gyd. Ac wy ddim yn mynd i ddala'r feirws chwaith.'

Sylwaf ar gysgod Owain wrth ymyl y drws. Faint mae e wedi'i glywed, tybed?

'Dere miwn, Ows.'

Mae e wedi gwisgo'i ddillad erbyn hyn. Ei hoff jîns du, gyda thyllau bwriadol ynddyn nhw. Ei grys glas Ralph Lauren ar agor dros grys-T gwyn clasurol. Ei sgidiau Timberland glas. Mae Ieuan dal â'i fraich o'm cwmpas a chilwena ar Owain wrth iddo ddod mewn yn iawn. Wy'n hanner disgwyl iddo ymuno â ni mewn un cwtsh fawr deuluol. Fel rhyw reng flaen annhebygol i herio'r byd a'i broblemau dwys.

Mae Owain yn gwneud rhywbeth gwell na hynny. Mae'n eistedd ar stôl y piano. Mae'n chwarae 'Für Elise' o'i gof, wedi ymgolli'n llwyr yn y darn. Nid yw pob nodyn yn taro deuddeg, ond i mi a'i dad, am y tro, mae pob un yn bersain, yn berffaith.

# Cofiwch Olchi Dwylo

Gyda'r ffenest yn gilagored glywon ni gloc y llyfrgell yn taro wyth yn y pellter. Aethon ni draw at ddrws y ffrynt, yna mentro mas i'r pafin. Fedrwn ni ddim mynd lot pellach gan ein bod ni wedi ein dedfrydu i ddeuddeg wythnos o hunan-ynysu. Roedd Teifi wedi treulio mwy o amser yn y carchar nag o'n i. Dyma fi'n tynnu ei goes felly, gan ddweud y byddai'n ymdopi â'r sefyllfa newydd yn llawer gwell na fi. Atebodd yntau ein bod ni'n dau wedi bod trwy ddedfryd o bedwar deg pump o flynyddoedd o briodas, felly allen ni ymdopi gydag unrhyw beth.

O'n i wedi ei weld ar Twitter. Syniad newydd. #ClapForNHS. Er bod nifer o'r tai yn ein stryd ni'n wag roedd yr ymateb dal yn siomedig – dim ond un cwpwl arall reit yn y pen pellaf, lawr wrth westy Glan-y-Môr gyda'r adeilad hwnnw'n rhyfedd o dywyll a difywyd. Carwyn y plymwr a'i wraig, Gwawr. Roedd hi'n taro sosban gyda rhywbeth metelaidd, llwy efallai. Yn teimlo cywilydd braidd am ymdrech dila ein stryd, gofynnais i Teifi nôl ei drwmped. Erbyn iddo ddychwelyd roedd Carwyn yn ei fan, yn fflachio'r goleuadau a chanu'r corn.

A dyma fi trwy gydol hyn yn curo fy nwylo'n fecanyddol, fel un o'r mwncïod batri yna, gwobrau ffair fy mhlentyndod. Edrychais i lawr yr hewl ac yn groes i'r harbwr, i'r stryd gyferbyn. O bryd i'w gilydd ro'n i'n taflu cipolwg ar y ffenest drws nesaf, yn teimlo'r gynddaredd yn codi wrth i fy nghalon gyflymu.

Chwythodd Teifi'r sŵn dwl yna, y 'dy-da-da-da-da-dy-da-da-da-da' chi'n ei glywed weithiau mewn meysydd chwaraeon. Cafwyd ymateb yn syth, rhyw fonllef o 'hwrê' yn gymysg â chwerthin, i'r chwith ohonon ni, yn nes at ganol y dre. Bu rhyw alwad ar draws yr harbwr hefyd, rhyw 'iabadabadŵ' Fred Flintstonaidd. Cododd hynny wên ar wyneb Teifi, ond diflannodd honno'n glou wrth iddo sylwi arnaf yn gwgu.

O'n i mas yn yr hewl nawr, yn syllu'n syn ar y ffenest, gan symud o'r naill ochr i'r llall yn llawn cynnwrf, yn dymuno iddyn nhw fy ngweld. Tynnodd Teifi'r trwmped yn glós i'w frest â'i law chwith, fel 'se fe'n cwtsio babi'n dwym. Yna, â'i law rydd, dyma fe'n fy nhynnu'n ôl jyst wrth i mi lwyddo i daro'r drws ffrynt â'r cnociwr.

'Paid stopi fi! Pam nag y'n nhw mas? 'Na'r lleia allen nhw neud!'

'Paid gweiddi nawr, bach. Glywan nhw ti.'

'Gwd. Ma' angen iddyn nhw wybod!'

Yn sylwi ar ei olwg bryderus edrychais draw ar y dŵr. O'n i wedi stopi clapio nawr a jyst yn wafio ar draws y cei. At neb penodol. Doedd bron neb yna. Ddaeth neb i ateb y drws chwaith.

*Yr un tân yn y bola, yn gryfach nag erioed a hithau'n saith deg oed, a'm denodd ati yr holl flynyddoedd yn ôl. Roedd hi'n un o'r myfyrwyr benywaidd oedd wedi cau eu hunain i mewn yn un o ystafelloedd yr Hen Goleg a mynd ar streic newyn. Protestio yn erbyn y ffordd y gadawodd y coleg iddo'i hun i gael ei ddefnyddio yn y fath fodd cywilyddus gan beiriant propaganda y Goron. Charles Philip Arthur George, ein cyd-fyfyriwr. Chwerthinllyd.*

*Hi a'm cyflwynodd i'r mwg drwg hefyd. Wy'n ffyddiog ei bod hi'n fy nghredu drwy'r blynyddoedd pan soniwn wrthi am yr ymweliadau mynych o'n i'n eu cael. Yn dal i'w cael. Cymeriadau hanesyddol gan amlaf. Owain Glyndŵr, neu Now fel o'n i'n ei alw. Iolo Morganwg, wastad am ysmygu fy joint ei hunan. R.S. Thomas yn ddiweddar hefyd, fersiwn cynnar ohono, yn ystod ei gyfnod Iago Prytherch, mewn cit ficer llawn, yr un ffunud â Father Jack o'r gyfres gomedi Father Ted.*

*Cred Morfudd, y ferch ieuengaf, fod y dôp wedi pydru fy ymennydd. Wy'n gwybod taw'r gwrthwyneb sy'n wir. Mae'n well* gen i'r meirw na'r byw. Maen nhw wedi fy nghadw'n gall. A ta beth, beth a ŵyr Morfudd? Mae hi wedi hen hel ei phac tua'r Ffindir, yn methu dioddef Brecsit. Nid 'mod i'n gweld bai arni.

Wy wedi cael fy nhemtio i adael hefyd, yn enwedig yn ddiweddar. Bod gyda Gwenllian, yn Wexford. Dim ond jyst groes y dŵr yw e, erbyn meddwl. Roedd James Joyce yn licio'r syniad pa noswaith, yn fy annog i ymuno â'm merch hynaf a'i theulu. Wy wedi cael fy siomi yn Joyce. Dyna'i gyd mae e'n ei wneud trwy'r amser yw canu hen alawon gwerin Gwyddelig, er, mae ganddo lais tenor penigamp, whare teg.

Mae Eleri'n gwybod o'r gorau bod rhywbeth o'i le. Mae'n anhygoel. Alla i ddim cwato unrhyw beth oddi wrthi. Mae 'na rywbeth cynhenid greddfol amdani – fel cadno, mae e'n seiliedig ar ryw hyder rhyfeddol, rhyw sioncrwydd torsyth. Mae e'n beth deniadol iawn, rhywiol, wastad wedi bod.

Wnaethon ni daro deuddeg, wel, ddim cweit o'r dechrau'n deg. Na. O'n i bach yn araf ar y cychwyn. Cofio unwaith yn Home Cafe bu raid i mi yn llythrennol gerdded bant oddi wrthi, wedi cynhyrfu cymaint â'i phresenoldeb. Roedd yr un ffunud â Julie Christie adeg hynny. O'n i'm yn meddwl bod gobaith gyda fi. Ei ffrind, Mari, lwyddodd i'm perswadio fel arall drwy sgriblo neges frysiog ar fat cwrw adeg stop-tap yn yr Angel.

Wedi bod digon ffodus i ddala diwedd y Swinging Sixties, roedd y ddau ohonon ni moyn newid y byd. Mae hi dal moyn, er clod iddi. Yn sicr, newidion ni ein byd. Priodi yn haf saith deg pump, gyda chaniatâd arbennig yn Ystrad Fflur, wedi ein bendithio gan ysbrydion mynachod Sistersaidd. Cael ein gorchuddio â chonffeti wrth ymyl yr ywen ger bedd ei harwr, Dafydd ap Gwilym.

Tynnais ei choes, gan brotestio nad o'n i am fod yn ail gwael i fardd o'r Canol Oesoedd. Chwarddodd hithau â'i chwerthiniad nodweddiadol drygionus, goslef ddyfnach na'r arfer, alto swnllyd, secsi. Mynnodd taw fi oedd ei harwr go iawn.

Dyw hi ddim yn gwybod pwy wyt ti eto. Na finnau chwaith, gwaetha'r modd.

Roedd y cwpwl drws nesa wedi fy nigio i cyn gynted ag y cyrhaeddon nhw. Roedd hi'n glir fel grisial eu bod nhw wedi ffoi o ryw leoliad dinesig er mwyn treulio'u cyfnod Clo Mawr yma yng Ngheredigion. Er bod hynny'n ddigon drwg ynddo'i hunan, ar ben bob dim roedd gan y gŵr ifanc, yn enwedig, ryw agwedd drahaus. Wrth iddyn nhw wagio bŵt eu car fe gadwais fy mhellter ar garreg drws y ffrynt.

Holais o'n nhw wedi teithio'n bell a chadarnhaodd e eu bod wedi dod o Lundain, gan godi bag chwaraeon llawn poteli yn taro yn erbyn ei gilydd ac ychwanegu eu bod nhw'n ffrindiau gyda theulu'r perchennog ac yn edrych ymlaen at aros yn y *second home.*

Cefais fy nhaflu braidd gan ei oslef haerllug, hunanfoddhaol. A'r ffordd iddo bwysleisio'r geiriau *second home* hefyd, gan syllu arnaf yn herfeiddiol, daeth hynny fel sioc. Nid dim ond cymryd mantais o'r sefyllfa oedd y boi 'ma yn ei wneud. Roedd e'n mwynhau pob eiliad.

Arhosais i'w gwylio nhw'n mynd yn ôl ac ymlaen, yn cario eu pethau i mewn i'r tŷ. Roedd hi i'w gweld yn weddol swil a thawel, â golwg welw braidd arni, yn ei phinaffor blaen ddu. Gwnâi ei gwallt golau plethedig iddi edrych ychydig yn Llychlynnaidd. Mewn gwrthgyferbyniad llwyr roedd e'n fawr a swnllyd gyda barf anniben a chlustog o wallt du cyrliog lle'r oedd sbectol haul trendi yn nythu fel deryn du cloff. Gwisgai grys-T plaen gwyn oedd lot yn rhy fach iddo a siorts llwyd cotwm gydag esgidiau ysgafn o'r un lliw. Roedd ei goesau blewog wedi cael lliw haul ond yn lot rhy denau i'w gorff sylweddol, fel 'se rhywun arall berchen arnyn nhw.

Allen i synhwyro ei fod e'n ymwybodol 'mod i'n ei wylio. Caeodd y bŵt yn glep, gan ollwng cwmwl o lwch trwchus i'r awyr. Roedd y VW Passat Estate wedi ei drochi'n un haenen o ddwst tywyll, fel pridd mân, yn ddu ar yr ymylon. Aroglais rywbeth aromatig, awgrym o baraffin neu flas trymach gweithdy garej. Bron er mwyn cyhoeddi eu cyrraedd dyma nhw'n brasgamu'n fawreddog i'w tŷ, gan dynnu'r drws yn swnllyd ar eu holau, yn gwneud i'n ffenestri ni grynu. Hyd yn oed o ble o'n i'n sefyll gallwn i glywed eu cilchwerthin plentynnaidd.

Bob dydd ers iddyn nhw gyrraedd maen nhw wedi gyrru i rywle, gan bacio blancedi a blwch pwrpasol ar gyfer picnic a'u gosod yn daclus ar ben dwy gadair blygu yn y bŵt bob tro. Yn cyffwrdd yn ei gilydd. Mwytho'i gilydd, cusanu, ynghanol y stryd.

Felly, ie, wna i gyfaddef fod pethau wedi bod yn gwasgu braidd hyd yn oed cyn noson y clapio.

Ar ôl dychwelyd i'r tŷ wnaethon ni wylio newyddion Channel 4 ar alw. Roedd Teifi wedi arllwys jin a thonig mawr i mi a rhoi rhai o'm hoff gnau mewn dysgl ar y ford. Wnaeth e ryw sylw ffraeth am liw tei'r cyflwynydd, ei fod e'n edrych fel 'se rhywun wedi chwydu arno fe. Ymgais i fod yn ysgafn, i dynnu llinell o dan fy ymddygiad tanbaid mas ar yr hewl.

Yna fe daranodd bwm-didi-bwm cerddoriaeth techno o'r drws nesaf trwy'r wal. I ddial gafaelais yn nhrwmped Teifi a chwythu mor swnllyd ag y gallwn i tuag at y twrw amhriodol, gan greu rhyw sŵn gwichlyd erchyll, fel mochyn yn synhwyro'r lladd-dy. Tynnodd Teifi'r trwmped oddi arnaf.

'Callia. Jyst bod yn ifanc ma' nhw.'

'Jyst bod yn hunanol, ti'n feddwl.'

Cymerais lwnc sylweddol o'm jin cyn codi a gweiddi mor uchel ag y gallwn i.

'Fuck off back to London!'

'Eleri!'

'Beth?'

'Mwyn dyn, ti ffaelu gweld? Mae hynna'n afiach. Paid bod yn hiliol!'

Wnaethon nhw droi lefel y sain i lawr rhyw fymryn drws nesaf, gan gilchwerthin unwaith eto.

''Sda fi ddim byd yn erbyn Saeson!' bloeddiais tuag at y wal, 'Jyst y rhai sy'n dod 'ma i aros a disgwyl defnyddio'n adnoddau meddygol prin ni ac wedyn ddim yn trafferthu codi oddi ar eu tinau breintiedig i ddangos eu gwerthfawrogiad i'n gweithwyr ni ar y llinell flaen!'

Roedd Teifi ar ei draed nawr hefyd, yn ysgwyd ei ben a'i wyneb fel y galchen. Wrth iddo ddechrau cerdded i gyfeiriad yr ardd rhedais i ddal i fyny ag e – o'n i ddim am iddo fy ngalw i'n hiliol heb ei geryddu.

'Rhag dy gywilydd di, galw fi'n 'na. Ti erioed wedi galw fi'n hiliol o'r blaen. Erioed! Ti'n gwybod nad yw e'n wir!'

Nid ynganodd yr un gair. Jyst gwthio heibio i mi. Ond fe alwais ar ei ôl.

'O leia wy ddim yn gadael i bobol fwydro fy mhen â rhyw nonsens am dywallt gwaed!'

*Mae rhai dynion yn encilio i loches eu sied yn yr ardd. Does dim sied gen i rhagor. Mae'r fainc wrth y wal gefn a'r sêr yn ddigon i mi. Eisteddais, cynnau joint a thynnu'r mwg i mewn yn ddwfn gan gau fy llygaid. Teimlais y llonyddwch dwys arferol yn llifo trwy fy ngwythiennau.*

*Ar ôl ychydig ffoniais Gwenllian. Holais hanes Seamus a'r ddau fach. Wnaethon ni gymharu cyfnodau cau lawr y ddwy wlad mewn ymateb i'r feirws. Roedd Iwerddon wedi bod yn gall, yn aeddfed iawn o'i gymharu â ni. Yn ystod yr alwad o'n i'n clywed rhyw sŵn taro 'nôl ac ymlaen o ardd drws nesaf a rhyw fân ebychiadau ac es i draw i edrych dros ben y wal. Roedd y cwpwl ifanc wrthi fel cwningod ar ford yr ardd. Mae'n rhaid bod Gwenllian wedi clywed fy ymgais i atal fy chwerthiniad gan iddi ofyn beth oedd achos y digrifwch sydyn. Dywedais 'mod i'n meddwl am ymdrech wael ei mam i chwarae'r trwmped a symudais oddi wrth y wal, gan obeithio na fyddai Eleri'n dod mas i'r ardd.*

*Ffarweliais â Gwenllian a cherdded allan i'r lôn gefn. Nid bod yr hyn a welais wedi peri embaras. Na, os rhywbeth roedd campau'r ddau drws nesaf wedi dod â gwên i'm hwyneb. Yn fy atgoffa o Eleri a minnau yn eu hoedran nhw. Na, y geiriau ddefnyddiodd hi ynghynt gyda'r fath gasineb, dyna oedd yn taro'n ddidostur yn fy mhen. Tywallt gwaed. Eithafiaeth y cyhuddiad, wedi ei anelu'n fwriadol i wneud dolur. Gwyddai hi o'r gorau fod yn gas gen i drais yn erbyn pobol. Trwy weithredoedd di-drais, trwy anghydfod sifil, dyna sut y bu i ni helpu yn ein ffyrdd bach ni i newid pethau ar hyd y blynyddoedd.*

*Wy'n credu taw yn ystod 'ymweliad' Michael Collins, yn union fan hyn, yn y lôn gefn, wrth i mi roi'r bagiau sbwriel mas un nos Sul tua diwedd y llynedd, y dechreuodd pethau newid i mi. Cerddodd lan ataf yn ei lifrai milwrol, yn edrych yn rhyfeddol o debyg i Liam Neeson, cyn fy nghyfarch â'm henw. Gwyddai 'mod i wedi fy enwi ar ôl afon. Roedd e'n hoffi'r Cymry ac yn ddiolchgar iawn am y cyfnod a dreuliodd yn garcharor rhyfel gyda'i gymrodyr ym Mrongoch, ger y Bala. Ond teimlai ryw dosturi tuag atom hefyd. Heblaw am leiafrif bach iawn, pobol daeog oeddem erbyn hyn, meddai, yn dal i afael yn dynn yn y Wladwriaeth Brydeinig ugain mlynedd wedi i ni gael ein llywodraeth ein hunain. Roedd e'n hollol ddi-sigl a diflewyn-ar-dafod. Anaml iawn y cafwyd gwir rym heb dywallt gwaed.*

*Teimlais ryw gyfog yn codi o'm hystumog ac awydd cryf i wrthbrofi ei eiriau ffwrdd-â-hi. Ond roedd yr hen ryfelwr o wleidydd eisoes wedi mynd. Gadewais i law mân Rhagfyr olchi drosof wrth geisio gosod ychydig o fagiau du ar ben ei gilydd, gan ganolbwyntio ar gadw fy nghydbwysedd yr un pryd. Wy'n cofio cloi drws y lôn gefn, gan droi'r allwedd yn fwy terfynol a phendant nag arfer. Wrth i mi gerdded 'nôl i'r tŷ synfyfyriais ar eiriau Collins.*

*Roedd y syniad o weld ein Prif Weinidog presennol, Mark Drakeford, mewn lifrai milwrol yn chwerthinllyd.*

*Y noson honno, soniais wrth Eleri am fy nghyfarfod gyda Collins. Fel arfer y dyddiau yma mae hi'n ddigon parod i fy modloni, neu o leiaf i wrando arnaf, wrth deimlo rhyw drueni dros fy ymennydd eiddgar, gwyrdroëdig. Y tro hwn roedd hi'n gallu gweld fy mod i'n fwy difrifol nag arfer, yn sipian fy mheint hwyr-nosol o ddŵr ar erchwyn y gwely fel 'se fe'r peth olaf y byddwn yn ei yfed erioed.*

*Roedden ni wedi trafod manteision ac anfanteision cynnal ymgyrch arfog o'r blaen, wrth gwrs ein bod ni. A'r ddau ohonom wedi dod i'r un casgliad bob tro. Doedd dim dyfodol mewn tywallt gwaed.*

*Ond gallai hi weld bod geiriau Collins wedi aflonyddu arnaf.*

Ar noson y curo dwylo stopiodd y gerddoriaeth honedig o'r drws nesaf ar ôl ychydig. Wrth fflicio drwy Facebook meddyliais y byddai'n syniad da gwneud fideo i Vita, fy wyres bedwar mis oed yn y Ffindir. Gydag un llygad ar ddyfodol fyddai o bosib ddim yn ein cynnwys ni, o'n i'n awyddus i ddweud wrthi sut bobol oedd ei mam-gu a'i thad-cu. Roedd rhyw elfen fyfïol yn hyn, mae'n siŵr, y dymuniad i gael cofnod cymeradwy o'n bodolaeth ni wedi i ni fynd. Wy'n gweld nawr taw'r jin helpodd esgor ar syniad a oedd yn swnio'n wych ar y pryd. Er mwyn gweld ein sgwrs yn fy mhen tynnais lun diweddar o Vita allan o 'mhwrs. Roedd yn rhyfedd iawn, y tebygrwydd rhyngddynt, er ei bod hi'n ferch, yn fabi, a Teifi'n hen ŵr saith deg oed. Rhywbeth ynglŷn â'r prinder gwallt a'r disgleirdeb llawn bywyd a ddeuai o'r llygaid lliw llechi, y peli bach chwyddedig o fochau a'r geg cilgant ar gau fel clown sinistr. Saith deg mlynedd o wahaniaeth, ond eto dim gwahaniaeth o gwbl. Flynyddoedd yn ôl, pan oedd yn y carchar, llysenw Teifi oedd *Babyface*.

Dechreuais sôn wrth Vita sut y cyfarfu ei thad-cu a'i mam-gu yn Aberystwyth. Sut, yn ddigon rhyfedd yn wir, na chyfarfu'r ddau ohonom ynghynt, er ein bod ni wedi ein geni a'n magu yn yr un sir, fi ym Mhontrhydfendigaid a Teifi yn Llangrannog. Eglurais sut y bu i'r ddau ohonom dreulio cyfnodau yn y carchar oherwydd ein daliadau gwleidyddol a sut y ceisiodd y ddau ohonom wneud gwahaniaeth hefyd yn ein bywydau bob dydd. Fi fel athrawes ysgol gynradd a Teifi, ar ôl cyfnod yn cerfio llwyau caru traddodiadol a chynhyrchu clocsiau, yn llwyddo yn y pen draw i brynu'r siop leol ym mhentref ei gynefin. Magu'r merched ar lan y môr yn Llangrannog, ar ben ein digon. Er, pan grynhois i'r cyfan i gwpwl o frawddegau doedd e ddim yn swnio'n rhyw lawer, ein bywyd gyda'n gilydd. Ni fydden i'n newid unrhyw beth chwaith, gan gynnwys ymddeol a symud yma i'r dre bum mlynedd yn ôl.

Es yn fy mlaen i sôn gymaint roedd y ddau ohonom yn edmygu'r Ffindir. Yn swyddogol y wlad fwyaf hapus yn y byd, cawsom y fraint o fod yno yn ystod Diwrnod Annibyniaeth, dim ond ychydig ddiwrnodau cyn ein diwrnod Cofio ni yng Nghilmeri, yn nodi lladd Llywelyn ein Llyw Olaf, ar yr unfed ar ddeg o Ragfyr, 1282. Soniais fod ei ben wedi ei dorri ymaith a bod sôn iddo gael ei arddangos fel gwobr gan y Saeson balch yn Nhŵr Llundain. Hyd yn oed nawr mae'r hanes yn ysgogi dagrau dig ac er i mi geisio ymlonyddu roedd yr holl brofiad yn rhy boenus, nid jyst i mi, ond i unrhyw un arall fyddai'n gwylio, felly wnes i ddileu'r fideo.

Ar ôl ychydig mwy o jin a sawl ymdrech lew i sôn eto am gymaint yr edmygem y Ffindir a bod y ddau ohonon ni wedi dwlu bod ei henw hi'n golygu 'llawn bywyd' penderfynais, tua hanner nos, y byddwn i'n hepgor y syniad o wneud fideo i Vita.

Yn hytrach, dechreuais bendroni ynglŷn â'r llyfr llychlyd am hanes Tryweryn a ffeindiais ar agor ar hen ddesg y stydi yr wythnos ddiwethaf, gyda marc cwestiwn wedi ei osod â phensil nesaf at lun o ferch ifanc.

Cyn i mi fynd i'r gwely penderfynais roi un tro arall arni. Llwyddais i recordio neges fideo fer – yn wir, un frawddeg – a cheisiais fy ngorau i'w dweud yn llawn argyhoeddiad, trwy lygaid digon blinedig: 'Rhaid dal ati i ymladd am yr hyn yr wyt yn credu ynddo, Vita, beth bynnag yw hwnnw, a byth rhoi'r gorau iddi, dyna'r gyfrinach, byth rhoi'r gorau iddi.'

Safiais y fideo ond wnes i ddim ei anfon.

*O'n i'n gwybod bod y cwpwl drws nesaf yn mynd dan groen Eleri, hyd yn oed pan o'n nhw ddim yna. 'Ble maen nhw'n mynd bob dydd?' byddai'n gofyn yn feunyddiol. Roedd e'n gwestiwn teg. Mae'n wir, roedd y ddau yn ddirgelwch. Gan gymryd eu bod nhw'n gyrru i ymarfer corff, gyda'u picnic, tybed ai hwyluso eu blys am ryw awyr agored o'n nhw? Ond hyd yn oed wedyn roedden nhw'n diflannu am oriau, yn groes i bob canllaw'r cyfnod Clo Mawr.*

*Ac yn wir, fel mae'n digwydd, roedd sail i'n drwgdybiaeth. Mae'n rhaid eu bod nhw wedi torri rhyw reol neu'i gilydd gan y cawson nhw ymweliad pigog gan heddwas un noson wrth i'r haul fachlud dros Fae Ceredigion. Wrth i ni sylwi ar fodur yr heddlu yn parcio tu*

*ôl i'w cerbyd nhw fe wnaethon ni agor y ffenest rhyw fymryn yn fwy,*
*i dreial dirnad beth oedd pwrpas yr ymweliad. Ar ôl rat-ta-tat*
*bywiog ar gnociwr y drws ffrynt cafwyd cais swta yn gofyn i*
*breswylwyr y tŷ gadarnhau eu henwau a'u cyfeiriadau arferol, a*
*holwyd hefyd os taw hwy oedd perchnogion y VW Passat Estate tu*
*fas. Collwyd manylder y sgwrs wedyn wrth i Jac-codi-baw swnllyd*
*basio heibio ar yr union adeg honno. Daethom i'r casgliad, fodd*
*bynnag, o glywed cywair swrth yr heddwas a'r atebion digon*
*gwylaidd fod rhyw gamwedd wedi ei ganfod yn ystod eu teithio*
*dyddiol. Ac er mawr syndod a boddhad, erbyn diwedd yr wythnos*
*roedd y ddau wedi mynd.*

*Allen i weld bod rhyw bwysau wedi codi oddi ar ysgwyddau*
*Eleri. Casglodd rai o'r cennin Pedr o'r ardd a'u gosod yn chwaethus*
*mewn fâs ar y ford. Rhedodd fâth ac agorodd focs o siocledi a*
*gawsom gan rieni Petri yn anrheg pan aethon ni draw i Helsinki i*
*fedydd Vita. Wnaeth hi hyd yn oed archebu gwin i gael ei ddanfon*
*i'r tŷ er mwyn dathlu.*

*Chwythodd ei hoptimistiaeth a'i hegni diddiwedd drwy'r tŷ fel*
*awel ffres. Gydag ychydig o waddol ei golwg seren y sgrin dal ganddi,*
*roedd hi wedi ei gorchuddio gan swigod sebon y baddon a'i*
*hamgylchynu gan hanner dwsin o ganhwyllau. Ymunais â hi i*
*socian ac ymlacio gyferbyn â hi. Yng nghanol yr arogl lafant trawyd*
*ein gwydrau o win gwyn ynghyd ac yfwyd llwncdestun i ddathlu*
*diflaniad disymwth ein cymdogion swnllyd. Ymddiheurais am*
*ddweud bod Eleri'n hiliol a gwenodd hithau, a dweud nad oedd yn*
*credu am eiliad fy mod i o blaid tywallt gwaed chwaith.*

*Nes ymlaen wnaethon ni garu yn y gwely a chael coffi yn y*
*gwely, yn y drefn yna. O'n i wedi ymlacio cymaint bu bron i mi â*
*sôn wrthi am dy ymweliadau cynyddol frawychus i'r fainc yn yr*
*ardd. Ond o'n i ddim moyn difetha'r awyrgylch hyfryd. A ta beth,*
*o'n i ddim yn gwybod ble i ddechrau.*

Wnes i ganfod trwy Twitter fod y mudiad o blaid annibyniaeth
Yes Cymru am i bobol ddod mas o'u tai am wyth o'r gloch ar y
nos Lun i ganu'r anthem fel arwydd o'n cefnogaeth i weithwyr

ar y llinell flaen yng Nghymru. O'n i'n licio'r syniad, ac yn sôn wrth Teifi wrth fwyta ein swper ar y nos Lun dan sylw pa mor bositif oedd pethau yn gyffredinol erbyn hyn. Dros y blynyddoedd y ddau fudiad sefydlog yn ein gwleidyddiaeth ni oedd Plaid Cymru a Chymdeithas yr Iaith. Wrth reswm, wnaethon ni ymhél â sawl mudiad arall, gan gynnwys Adfer yn y dyddiau cynnar a Cymuned yn fwy diweddar hefyd. A nawr roedd mudiad cymharol newydd arall. Pan gyfunwyd hyn gyda'r negeseuon Cofiwch Dryweryn niferus oedd yn blaguro ymhobman fel rhyw radisys anferth roedd pethau'n edrych ar i fyny yng Nghymru, o'n i'n meddwl. Dangosais lun i Teifi oddi ar Facebook. Roedd darn graffiti Cofiwch Dryweryn wedi ei newid i Cofiwch Olchi Dwylo. Chwarddodd yntau yn braf.

Bron heb sylweddoli sylwais fy mod i'n treial arogleuo'r hyn oedd yn weddill o'm cyrri cig oen fel rhyw gi barus, a bu i hynny beri mwy fyth o chwerthin gan Teifi. Cyn iddo gael cyfle i dynnu fy nghoes clywsom eiriau agoriadol 'Hen Wlad Fy Nhadau' yn cael eu canu, ychydig yn gynnar, o gyfeiriad canol y dre. Heb drafferthu gwisgo'n cotiau rhuthrodd y ddau ohonom allan i'r pafin.

Ymunais yn canu 'Ei gwrol ryfelwyr, gwladgarwyr tra mad, dros ryddid collasant eu gwaed' gydag arddeliad, er i mi sylwi ar unwaith nad oedd fawr neb arall i'w gweld yno. Er mawr syndod i mi ystumiodd Teifi â'i lygaid y dylen i fynd yn ôl mewn, ond llusgais i fe rownd y gornel i gyfeiriad y canu.

Wrth ganu 'Pleidiol wyf i'm gwlad' wafais ar Dilys ac Eifion oedd tu fas i'w tafarn yn canu ffwl owt, gydag Eifion hyd yn oed yn chwifio'r Ddraig Goch. I'r chwith ohonyn nhw, gyferbyn â'r maes parcio, roedd Rhystud James, yn ei wythdegau, yn pwyso ar ffon ar garreg ei ddrws. Roedd e'n canu'n boenus o araf, gan wneud i bawb arall lusgo'r geiriau i'r fath raddau nad o'n nhw'n cynnal unrhyw ystyr bron. Ar gyfer uchafbwynt y diweddglo 'O bydded i'r hen iaith barhau' sylwais fod Teifi wedi dewis yr opsiwn bariton mwy didaro yn hytrach nag uchelfannau dramatig cywair y tenor, ei galon yn amlwg ddim yn y canu. Er mwyn gwneud yn iawn am ei ddiffyg brwdfrydedd dyma fi'n chwifio fy mreichiau fel ffŵl wrth floeddio canu'r nodyn olaf â llais amrwd, cras, llawer rhy egnïol.

Pen draw hyn oedd ffit letchwith o beswch wedi ei hanelu i ganol fy mraich gam, yn union yr un modd â'r darlun a ddangoswyd droeon ar y teledu.

*'Nôl yn y tŷ golchwyd ein dwylo ac am y tro cyntaf erioed fe deimlais gyda'r ddefod syml hon fy mod i'n dechrau golchi fy nwylo o'm cenedl hefyd, yn cael gwared â grym rhyfeddol ei gafael. Sylwodd Eleri ar yr olwg ddwys oedd arnaf.*

*'Wnest ti'm mynd amdani heno, 'da'r anthem.'*

*'Fel y mwyafrif llethol o'r dre 'te.'*

*''Sdim ots am 'na o's e. Oedd e wedi cael ei drefnu'n hwyr, wy'n credu. Falle nad oedd pobol yn gwybod amdano fe. Paid cymryd e i dy galon nawr, Teifi.'*

*'Sori, cariad, ond wy'n teimlo weithiau fel 'sen i 'di cael llond bola.'*

*'Dei di dros hyn 'to. Ti wastad yn neud.'*

*'Sa i mor siŵr tro hyn. Mae'n yffach o beth i orfod cyfadde, ond weithiau alla i ddim diodde canu'r anthem. A nage teimlad newydd yw e chwaith. Wy'n credu ers sbel fach nawr bod y dasg o'n blaenau ni'n amhosib.'*

*'Rwtsh. Ti ffaelu meddwl fel'na.'*

*'Mae'n dwyllodrus i feddwl fel arall.'*

*'Na. Hyd yn oed nawr, yn y cyfnod Clo Mawr hyn, mae 'na gyfle i ni. Cyfle i Gymru ddangos ei photensial, i wneud gwahaniaeth.'*

*'Sa i'n siŵr os alla i feddwl fel'na rhagor. Mae hunllef Islwyn Ffowc yn digwydd o flaen ein llygaid ni.'*

*'Dyw e ddim yn hunllef i gael Senedd ein hunain!'*

*'Y weledigaeth mwy tywyll yn ei lyfr o'n i'n feddwl. Pan y'n ni wedi troi yn Western England. Maen nhw'n mynd i wneud ffyliaid ohonon ni, Eleri. Mae'n digwydd yn barod. Ailenwi Pont Hafren yn Bont Tywysog Cymru. Mae'n warthus. Ond mae e wedi ei dderbyn. Maen nhw'n profi'r dŵr i weld sut fyddai'r ymateb i Arwisgiad arall.'*

'Paid â bod yn ddwl. Fydden nhw ddim yn meiddio.'

'Ma' angen rhoi hwb i'r Goron Brydeinig eto, nago's e. Pan eith ei fam e, Carlo fydd y brenin newydd a gewn ni dywysog arall neu rwbeth tebyg wedi'i wthio arnon ni.'

'A wnewn ni ymladd hynny eto 'te. Fel o'r blaen.'

'Bydd Brecsit yn esgor ar fwy fyth o genedlaetholdeb Seisnig. Wy moyn i ni symud i Iwerddon. Cadw bach o hunan-barch.'

'Byth bythoedd. Fe sy tu ôl i hyn, nagefe? Y noson hynny, jyst cyn y Flwyddyn Newydd, pan welest ti Michael Collins.'

'Mae'n syniad da. Fyddwn ni'n hapus 'na.'

'Fyddwn ni'n hapusach fan hyn. Neu os ewn ni i rywle, yna i'r Ffindir fydd hynny, nid Iwerddon.'

''Set ti'n folon styried y peth 'te?'

'Na. Unwaith ti'n rhoi lan ar obaith, yna neith dim byd newid byth. Dyle fod cywilydd arnot ti, Teifi.'

Efallai y dylwn i fod wedi dangos bach mwy o gydymdeimlad tuag ato fe. Allen i synhwyro ei fod e'n teimlo 'mod i wedi bod yn llym, ei ffroenau'n fflamio. Diflannodd i loches arferol ei ysmygu. Er, y tro hwn, ac yntau'n gwybod yn iawn fod yn gas gen i hynny, dyma fe'n tanio'i joint yn yr ystafell haul, heb drafferthu mynd allan i'r ardd. Roedd yr awgrym lleiaf o law yn yr aer. Wnes i ddim ei holi am lun y ferch yn y llyfr hanes Tryweryn. 'Se fe'n siŵr o ddweud wrtha i maes o law. Ac roedd gen i fy nghyfrinachau pryderus fy hun. Wrth baratoi coffi y bore hwnnw sylwais nad oedd yn arogleuo o unrhyw beth. Doedd fawr o flas chwaith, er bod yr un arbennig hwn fel arfer yn un cryf gyda chic o gnau a siocled dan yr wyneb.

O'n i wedi edrych ar-lein am symptomau posib ar gyfer y feirws. Roedd colli blas a'r synnwyr o arogleuo yn gyffredin. Ond ai rhyw dric yn y meddwl oedd hyn? Mae'n rhaid 'mod i wedi darllen yn rhywle am y symptomau a phlannu'r syniad yn fy mhen. A oedd y synhwyrau rhyfedd newydd hyn, neu'r diffyg synhwyrau yn hytrach, yn seicosomatig?

Meddyliais am y gair ddefnyddiodd Teifi yn fy erbyn.

Twyllodrus. Efallai mai dyna beth oedd hyn. Wedi'r cwbwl, doedd gen i ddim tymheredd uchel. Ond roedd yr erthygl ar-lein wedi datgan nad oedd rhai pobol, tua deg y cant wy'n credu, yn cael tymheredd uchel o gwbl.

Nid oedd sail i bryderu. O'n ni wedi bod yn ofalus. Wedi hunan-ynysu fel y bo'r galw. Wedi cael ein siopa a'n meddyginiaethau wedi eu hanfon yn rheolaidd i'r tŷ. Wedi golchi ein dwylo, wedi sgwrio popeth nes eu bod nhw'n sgleinio.

Cofiais yn sydyn am noson gyntaf y clapio i'r NHS, pan gollais fy nhymer. Roedd Teifi a minnau wedi cwympo mas. Dywedwyd ambell beth cas yng ngwres yr eiliad. Oherwydd bod ein sylw yn rhywle arall anghofion ni olchi ein dwylo ar ôl bod tu fas.

Y noson honno gafaelais yng nghnociwr drws nesaf, gan gydio ynddo'n gynddeiriog â'm bysedd agored, noeth.

A oedd hynny'n ddigon?

*Yn yr ystafell haul wy'n agor y drws ac yn sylwi arni ar y fainc yn y pellter. Mae hi tuag wyth oed, wedi ei gwisgo mewn sgert syml lwyd, sanau hirion llwyd, esgidiau trymion du a chrys plaen gwyn, yn union fel mae hi i'w gweld yn y llyfr. Wy wedi'i gweld hi nawr ar chwe achlysur gwahanol. Dyw hi byth yn dweud dim, er mae hi weithiau'n llefain. Rhyw ddolefain isel annioddefol, fel 'se hi wedi ei siomi'n arw. Ar y ddau achlysur diwethaf, gan gynnwys heno, mae hi wedi pesychu. Nid sŵn peswch rhywun sâl. Yn hytrach, rhyw besychiad bwriadol i ddenu sylw ati'i hun. Mae ganddi wyneb plaen, diniwed ac mae ei gwallt hir tywyll yn wlyb diferol. Edrycha'n oer, ac weithiau mae hi'n crynu. Nid wyf wedi llwyddo i dorri yr un gair gyda hi, ac nid yw heno'n eithriad.*

*Yn sydyn sylwaf ar Eleri wrth fy ymyl ac mae hi'n dala fy edrychiad syn. Gwasgaf yr hyn sy'n weddill o'm joint yn euog i ddysgl fach ar y ford. Mae hi'n dweud 'mod i'n edrych fel pe bawn i wedi gweld ysbryd. Taflaf gipolwg draw at y fainc a sylwaf fod y ferch wedi mynd. Wy'n llwyddo i sôn wrth Eleri amdani ac mae hi'n fy nghysuro, yn ceisio rhoi tawelwch meddwl i mi. Eglura'n ddiffwdan*

*taw amlygiad o fy nghydwybod euog yw'r ferch wedi i mi ystyried*
*troi fy nghefn ar fy ngwlad a pheidio cofio am Dryweryn o gwbl. I'r*
*gwrthwyneb, ceisio anghofio amdano. Mae'r darnau yma o'r*
*dychymyg yn angenrheidiol, meddai. Bu iddi brofi rhywbeth tebyg*
*ei hun, flynyddoedd mawr yn ôl, pan oedd hi'n groten fach yn*
*chwarae ar dir Ystrad Fflur, yn gwerthu cerrig a phrennau i Dafydd*
*ap Gwilym ac amryw o drigolion eraill y fynwent enwog.*

*Mae hi'n cau drws gwydr yr ystafell haul am ei bod hi wedi*
*dechrau bwrw glaw yn ysgafn tu fas. Ar ôl ychydig sylwaf ar*
*ddiferion dyfrllyd yn rhedeg i lawr y gwydr fel dagrau a chlywaf y*
*ferch yn llefain.*

Fel arfer wy'n ffeindio arogl melys dôp yn feddwol lesmeiriol.
Yn demtasiwn. Dyna pam wy ddim yn licio i Teifi ysmygu yn y
tŷ. Wy'n gwybod y gwna i ymuno ag e.

Nid oes arogl melys yn yr ystafell haul heno. Nid oes
unrhyw arogl o gwbl. Wy'n treial peidio becso am hyn ond mae
e'n chwarae ar fy meddwl. Dychwelaf i'r ystafell fyw a galwaf ar
Teifi i ymuno â mi. Egluraf fy mod i am i ni wneud fideo i Vita.
Awgrymaf ein bod ni'n canu deuawd ond nid yw Teifi'n
awyddus, ond mae e'n cynnig chwarae ei drwmped fel cyfeilydd
i'm canu.

Wy'n paratoi'r fideo ar yr i-Pad ac mae Teifi'n nôl yr offeryn.

*Wrth i mi dynnu'r trwmped mas o'i gasyn wy'n meddwl am y tro y*
*perfformiwyd Meseia Handel gan gôr yr ysgol, pan ges i chwarae fy*
*hoff ddarn ohono, 'Cenir yr Utgorn', ar y cornet. Gwelaf fochau coch*
*Elfed Morris, y Prif Fachgen, wrth iddo ganu'r geiriau gogoneddus*
*'Ac fe godir y meirw, fe'u codir yn anllygredig'.*

*Wrth ei gwylio hi'n paratoi ei hwyneb â smotyn o finlliw, ar dân*
*i ganu i'w hwyres fach, sylweddolaf fod yna ryw elfen odidog o*
*anllygredig am Eleri. Mae'r hyn a ddywedodd hi yn gynharach yn y*
*noson, am obaith a pharhau i obeithio, i ddal ati, yn atsain o eiriau*
*tebyg gan Gramsci, wedi taro'i nod.*

*Wy'n gwybod beth mae hi moyn i mi chwarae heb ofyn.*

'Finlandia', i eiriau'r cawr Lewis Valentine. Symudaf yn agosach ati, i ganfod y camera, cyn edrych draw arni yn llawn balchder a chwythu'r nodau priodol o gyflwyniad. Mae hi'n canu 'Dros Gymru'n gwlad, O Dad, dyrchafwn gri, Y winllan wen a roed i'n gofal ni' a'r gweddill yn eiddgar ond yn anad dim yn llawn optimistiaeth. Tybiaf fod y canu a'r gerddoriaeth wedi tawelu'r dagrau ar y drws ac rwyf innau yn treial meddwl yn gadarnhaol. Dychmygaf weld Vita eto, yn y dyfodol. Maen nhw'n dweud ei bod hi'n debyg i mi, ond wy ddim yn gweld hynny. Mae'r enw llawn bywyd yn gwneud i mi gofio am brofiad o 'mhlentyndod innau pan ddaliais iâr fach yr haf yng nghwpan fy nwylo, cyn ei rhyddhau i ganfod ei lle yn y byd. Mae e'n teimlo fel ddoe.

Canaf yr emyn yn frwd. Wy moyn i Vita ddeall ei bwysigrwydd i mi, i ni. Mae e'n asiad perffaith o ddau ddiwylliant, llymder caled y gerddoriaeth Ffinnaidd yn gymysg ag angerdd y geiriau Cymraeg.

Llwyddaf i ddifetha rhywfaint o'r diweddglo â'm pesychiad sych. Sylwaf ar edrychiad annwyl, pryderus Teifi. Mae hen ddihareb Gymraeg wy erioed wedi'i licio ond heno wy'n ei chasáu â chas perffaith.

'Utgorn angau yw peswch sych.'

Wy'n gosod y fideo gyda neges fer, yn dymuno'n dda i Morfudd, Petri a Vita ac yn eu hatgoffa i olchi eu dwylo cyn gwasgu 'Anfon'.

# Diolch NHS

Mae hi'n cario'r post trwyddo ar flaenau bysedd ei Marigolds pinc gan ganolbwyntio mor drylwyr ag arbenigwr diogelu bomiau. Ger y ford fwyd mahogani ceir cymysgedd o wynt rwber a chwyr dodrefn gyda'r arogl lleiaf o ddiheintydd. Ond nid y gybolfa hon o arogleuon sy'n gyfrifol am ei phenysgafnder sydyn. Y canol o'r tri darn o bost sy'n gwneud hynny. Mae hi wedi sylwi ar farc coch cyfarwydd y Bwrdd Iechyd lleol ar flaen yr amlen, yn gnoad caru blêr, mor arw â gwaed.

Mae hi'n eistedd er mwyn rheoli ei phendro, yn traflyncu aer, fel 'se hi newydd fennu dringo rhyw lethr serth.

'Rhois i botel win i Arthur.'

Mae hi'n edrych yn bryderus, gan daflu cipolwg ar y ffenest. Heb feddwl, heb sylweddoli hyd yn oed, mae'n tynnu darn o'i gwallt dros ei chlust chwith fel hen wrach ffug-swil mewn stori blant.

'O't ti wastad yn licio cael anrhegion 'da'r cwsmeriaid. Nadolig fel arfer. O'n i 'di rhoi bach o gwrw a siocled i fois y lorri sbwriel felly oedd rhaid rhoi rhywbeth bach i Arthur hefyd, nag oedd e? Gweithio yn y cyfnod 'ma, risgio'u bywydau, ware teg. Wedi'u spreio nhw gynta, wrth gwrs.'

Mae hi'n edrych ar ei lond pen o wallt brown heb arlliw o lwyd yn agos iddo. Mae ei lygaid treiddgar gwyrdd yn ffrwydro o'r ffoto'n llawn direidi, ei ên amlwg yn ymwthio allan ar ongl lem fyddai'n salw i rai, efallai. Iddi hi roedd yn atyniad amrwd anghyffredin. Mae hi'n ei ddychmygu'n amneidio, hyd yn oed yn wincio arni. Byddai'n gwneud hynny droeon ac yn chwerthin hefyd. Mae e mor fyw iddi yn y llun yma, yn ei grys glas golau cyfarwydd a'r trowsus glas tywyll. Byddai'n fodlon gwneud unrhyw beth i wynto'i chwys eto, i roi ei ddillad gwaith yn y golch jyst unwaith yn rhagor.

Mae hi'n adnabod ysgrifen gymen Angharad ac yn agor yr amlen gyntaf yn ofalus. Mae llun o enfys ynddi a'r geiriau 'Diolch NHS' wedi eu gosod mewn llythrennau breision oddi tani. Ceir nodyn hefyd. Mae hi'n ei ddarllen i Paul. 'Rhywbeth bach i chi i'w roi yn eich ffenest. Cymerwch ofal, Mam-gu. Cariad mawr, Angharad XX.'

Yn nes lawr ar y nodyn gwêl sgribl anghyson sy'n dweud 'Helô' wrth ymyl llun o ddinosor Igwanodon, wedi ei arwyddo â'r enw 'Danisorws' gydag 'X' anferth nesaf ato. Paul fathodd y llysenw i Daniel, er mawr lawenydd i'r crwt bach. Hyd yn oed ddwy flynedd yn ddiweddarach mae e dal yn ddwl bared am ddinosoriaid, yn waeth os rhywbeth.

'Dim ond pump yw'r un bach. Ond ma' fe 'di saethu lan yn ddiweddar, Paul. Weles i e wythnos ddiwetha yn un o'r galwadau Zoom hyn mae Alys yn eu trefnu i'r teulu ar y cyfrifiadur. Wafiodd e arna i, wedi gwisgo fel dinosor, yr un gyda'r pigyn mowr ar y talcen. Dim ond jyst gallu gweld ei wyneb e o'n i, ond ma' fe wedi tyfu eto. Ma' fe'n mynd i fod dros chwe throedfedd fel ei dad.'

Mae hi'n mynd draw at y ffenest a gosod yr enfys i wynebu mas ar y sil fewnol gyda'r neges oddi tano. Mae'r papur mor denau mae hi'n gallu gweld y lliwiau o'r tu mewn i'r ystafell hefyd. Tu fas mae'n ddiwrnod braf o Ebrill gyda'r haul yn disgleirio ar yr harbwr fel pe bai'n goleuo rhyw lwyfan yn aros am berfformiad. Y gwylanod yw sêr y sioe, yn dawnsio yn y pyllau bach prin neu'n twrio gyda'u pigau yn chwilio am fwyd yn y mwd. Yn drefnus iawn maen nhw'n cadw pellter oddi wrth ei gilydd, bron fel 'sen nhw'n dynwared rheolau newydd y bobol o'u cwmpas.

Mae hi'n sylwi ar y fan goch Post Brenhinol wedi stopi tu fas i dŷ ochr draw i'r harbwr erbyn hyn. Arthur yw'r unig berson mae hi'n weld o'i ffenest. Heblaw am ambell grawc gwylan neu furmur ymdrech lew ambell lorri i fynd lan y rhiw yn y pellter mae'n iasol o dawel. Mae rhai hwyaid wedi ymuno â'r gwylanod. Maen nhw'n ymddangos yn fwy swil, yn syllu'n chwilfrydig ar y bwiau oren segur, sych. Mae yna un, un gwryw, yn siglo'n beryglus o'r naill ochr i'r llall wrth iddo geisio cydbwyso ar un o'r cadwyni haearn rhydlyd sy'n gorwedd ar hyd llawr yr harbwr, fel rhyw drapisydd lletchwith.

Mae hi'n penderfynu agor y cylchgrawn Trailfinders nesaf, gan rwygo'r gorchudd seloffen ar ei hyd. Er mai ond unwaith y defnyddiodd Paul a hithau Trailfinders, i drefnu eu dathliad trigain oed hi yn Efrog Newydd, mae cylchgronau chwarterol y cwmni'n cyrraedd trwy'r post mor ddibynadwy â golau'r bore.

Mae hi'n falch o weld y cylchgrawn sgleiniog. Mae'n rhoi esgus iddi i siarad gyda Paul am eu taith i'r Big Apple.

'Aethon ni ffwl pelt amdani, naddo fe, ware teg? Ti'n cofio'r sioe gerdd 'na welon ni ar Broadway? *South Pacific*?'

Mae hi'n canu'r geiriau 'I'm Gonna Wash That Man Right Outa My Hair' dair gwaith gan chwifio'i llaw yn rhwysgfawr ar Paul â'i Marigold.

'A beth oedd enw'r reid ffair 'na gawson ni yn Coney Island? Seico neu rwbeth. Wnaeth e godi ofn, ond o'n i'n meddwl bod y daith hofrennydd dros Hudson Bay yn fwy brawychus o lawer, er ei fod yn fwy o wefr hefyd mewn ffordd. O'n i'n dwlu hedfan mor agos i'r dŵr. Ddim fel bod mewn awyren, mwy real, fel bod yn aderyn. Wnest ti'n sbwylio i, naddo fe? Bron fel 'se ti'n gwybod ...'

Mae hi'n gadael ei brawddeg ar ei hanner, ei llais yn torri.

Gosoda'r cylchgrawn i lawr a chodi'r darn olaf o bost lan yn ddisgwylgar bryderus. Mae hi'n agor yr amlen ac yn ei gosod yn ofalus wrth ymyl un wag Angharad a'r seloffen. O flaen Paul, fel petai, mae hi'n darllen y llythyr, gan dreial cwato'i hemosiynau. Gan nad yw ei hapwyntiad yn yr Adran Ddermatoleg yn un brys mae e wedi ei ddiddymu erbyn hyn. Rhoir blaenoriaeth i achosion Covid-19 yn y dyfodol agos ac fe drefnir apwyntiad arall pan fydd sefyllfa'r feirws yn fwy clir.

Gwena Marian iddi'i hun. Nid yw'r diddymiad yn ei synnu. Er bod ei bola'n troi teimla ryddhad mawr. Ond mae hi'n gwybod taw rhyddhad ffug ydyw, y rhyddhad sy'n dod o ohirio rhywbeth, rhoi rhywbeth o'r neilltu, o ddim moyn canfod y gwir.

Mae hi'n cyffwrdd ei chlust chwith eto, gweithred anwirfoddol. Mae hi'n gwybod ei fod e yna, yn tyfu, beth bynnag yw e. Yn ei chadw hi ar ddihun yn y nos. Neu'n waeth, yn ei gwthio i ryw fodolaeth rhyfedd anifeilaidd wrth iddi, o'r diwedd, lwyddo i gysgu.

Mae hi'n gadael y cylchgrawn ar y ford ac yn taflu'r gweddill, gan gynnwys y llythyr, mas gyda'r ailgylchu. Mae hi'n falch fod ei Bwrdd Iechyd lleol yn dal i drafferthu anfon llythyron. Wedi'r cwbwl, dyna fu hi'n ei wneud iddyn nhw am dros ddeng mlynedd ar hungain, fwy neu lai, fel ysgrifenyddes yn yr NHS. Yn ei barn hi mae negeseuon tecst mor amhersonol. Mae e-byst yn fwy derbyniol ond dal yn rhy ffwrdd-â-hi o'i gymharu â pharch ffurfiol papur llyfn gydag enw'r Bwrdd Iechyd ar y top mewn amlen. Efallai fod ganddi ragfarn, gan yr oedd ei gŵr yn bostmon. Mwy na thebyg ei bod hi'n hen ffasiwn, yn dangos ei hoedran, yn ddinosor. Marianosorws.

Gŵyr ei fod e'n ddwl ond does dim ots ganddi bellach felly mae hi'n dychwelyd i'r ford a mynd â llun Paul gyda hi i'r ffenest, fel eu bod nhw'n medru gwylio'r adar yn yr harbwr gyda'i gilydd fel o'n nhw'n arfer wneud. Nid yw'n siŵr faint wnaeth Daniel ac Angharad ddeall o esboniad amyneddgar Paul nad yw dinosoriaid wedi diflannu o'r Ddaear. Maen nhw'n dal i fyw trwy eu disgynyddion, yr adar, sydd hefyd yn ddinosoriaid. Dim ond yn gymharol ddiweddar y cafodd y dinosoriaid enfawr y sylw i gyd. Yn eu hanterth roedd pob math o ddinosor, o bob maint a siâp. Roedd rhai fel adar bach neu fadfallod, rhai eraill fel Argentinosawrws yn anferthol. A'r rhan fwyaf rhwng y ddau.

Mae gwybod bod rhai ohonynt yr un maint â bodau dynol yn rhoi Marian ar bigau'r drain. Mae hi'n sylwi bod yr hwyaid wedi hedfan i ffwrdd. Sylwa hefyd ar wylan benderfynol yn pigo ar un o'r bwiau oren lleiaf, yn rhwystredig â'i wrthodiad plastig i ildio tamaid o fwyd iddi. Wrth i siffrwd o golomennod lanio ar wal yr harbwr i ffurfio cynulleidfa mae Marian yn troi a gosod llun Paul 'nôl ar y ford. Mae pryder yn cnoi yn ei bola. Mae hi'n tsiecio ei storfa tabledi cysgu yn nrâr y dreser. Hyd yn oed trwy'r menig mae'r ffoil arian cyfarwydd a phatrwm rhesog y pils bach yn rhoi cysur iddi.

Yn y drâr sylwa ar lun arall o'i gŵr, yn grwt saith oed. Fersiwn teneuach llawn brychni ag ymyl ei wallt ar ongl sylweddol, druan. Rhywsut neu'i gilydd mae ganddo dair pluen yn glynu wrth dop ei ben hefyd. Mae'r un ganol yn fawr ac yn wyn, gyda dwy lwyd, lai, naill ochor iddi. Mae'r llun wedi ei ddala ar y ffordd i chwarae Cowbois ag Injans. Mae hi'n ei gofio fe'n dweud wrthi iddo gasglu dau lond bocs esgidiau o blu a taw Injan oedd e bob tro, byth Cowboi. Cadwodd ei hoffter o blu hyd y diwedd, gan fynnu prynu clustogau pluog gan fod yn gas ganddo'r rhai synthetig.

Yn sydyn caiff fraw wrth i seiclwr hyrddio heibio i'r ffenest yn fflach o felyn. Mae hi'n sgrechian, a bron â gollwng y Paul bach i'r llawr. Mae hi'n ei osod 'nôl yn y drâr ac yn mynd draw i sinc y gegin. Llenwa'r fowlen blastig â dŵr a mymryn o ddiheintydd cyn tynnu ei menig bant a'u gosod yn y bowlen i socian. Mae ei dwylo'n gignoeth o goch. Mae'r Marigolds yn rhy dynn.

Mae hi'n meddwl bod ei dwylo wedi chwyddo. Mae hi'n gwybod bod ei hewinedd wedi tyfu eto a bydd angen eu torri unwaith yn rhagor. Ceisia ei gorau i beidio meddwl am hyn.

Yn yr ystafell olchi dillad mae hi'n gwasgu bwlyn yr hylif sebon gwrthfacteria a rhwbio'r hylif yn drylwyr yn ei dwylo cyn eu golchi'n drwyadl dan y tap dŵr poeth. Maen nhw wedi camu i flaen y llwyfan yn ddiweddar, yr hen ffrindiau oes yma, yn taro yn erbyn ei gilydd bob nos Iau erbyn hyn i gefnogi'r NHS ar riniog ei drws ffrynt. Ac yn cael pob siort o fenig wedi eu gwthio arnyn nhw hefyd, neu'n cael eu hysgwyd yn frwd wrth wafio i gyfarch ffrindiau yn ei stryd neu'n groes i'r harbwr. Neu'n uno, yn ddwy law i erfyn, i weddïo ar ran ei theulu.

Neu gusanu ei modrwy briodas cyn plymio i ddyfnderoedd hir y nos.

Y synnwyr o gyffwrdd mae hi'n gweld ei eisiau fwyaf. Mae hi'n gwybod ei fod yn angenrheidiol, tyngedfennol hyd yn oed, i gadw'r pellter diogel oddi wrth bobol, ond mae 'na rywbeth cynhenid annynol amdano hefyd. Nid ei bod hi'n gofleidiwr o fri chwaith. Gwêl eisiau'r pethau bach ffwrdd-â-hi teimladwy bob dydd y tueddir i'w cymryd yn ganiataol. Y cyffyrddiad llaw damweiniol achlysurol, pat bach o anogaeth ar y cefn, pasio pethau rhwng dwylo dynol.

Wedi dweud hyn mae hi hefyd yn gwybod ei bod hi'n lwcus. Mae'n byw mewn cymuned go iawn gyda chylch agos o ffrindiau. Yn chwaraewr Bingo brwd yn ystafell gefn y Llew Coch bob nos Fawrth, mae hi'n falch o'r sïon diweddar ar Facebook fod Meic, y tafarnwr, yn bwriadu trefnu gêm ar-lein erbyn yr wythnos nesaf. Dim ond galwad ffôn neu lun Facetime i ffwrdd mae ei theulu, neu ddwy awr o daith mewn argyfwng. Mynnodd ei merch hynaf, Alys, y dylai ddilyn canllaw Cyngor Iechyd y Byd, sef y dylai unrhyw un dros chwe deg, mewn categori risg uchel, aros gartref. Trefnodd Alys hefyd fod hen ffrind ysgol iddi, Hedydd, yn gwneud ei siopa wythnosol iddi a'i adael ar y garreg drws. Mae 'na gyfarfodydd teulu Zoom ar-lein a sgyrsiau ffôn dyddiol hefyd, naill ai gydag Alys yng Nghaerdydd neu ei merch arall, Ruth, yn Wolverhampton. Mae hi'n darllen cylchgronau, yn fflicio drwy Facebook, yn paratoi prydau llesol ac yn gwrando ar hen recordiau LP – caneuon o sioeau cerdd yn bennaf. Bob dydd mae hi'n gwylio ei hoff gwis, *The Chase*, gan weiddi'r atebion mas yn uchel weithiau. Ody, mae hi'n teimlo'n lwcus iawn.

Ac eto teimla'r ysfa i dretio'i hunan ag un pleser bach dyddiol, cyfrinachol. Rhywbeth y byddai'n ei wneud bob gyda'r nos â Paul yn ddi-ffael. Wâc fach ar hyd Traeth y Gogledd wrth wylio'r haul yn machlud yn y pellter. Mae'n rhywbeth i edrych ymlaen ato bob dydd, yn rhywbeth i'w drysori hyd yn oed yn fwy nawr ei fod wedi ei wahardd gan ei theulu.

Heno mae hi'n tynnu llun ar ei ffôn o'r cylch oren cyfarwydd yn toddi i'r môr. Sylwa ar yr amrywiaeth rhyfeddol o liwiau yn yr awyr. Bu'r rhain yn bwnc trafod beunyddiol iddi hi a Paul. Mae'n falch o weld ambell goch ac oren ysblennydd o rwysgfawr heno, yn broffwydi pleserus i neiniau gweddw yn ogystal â bugeiliaid. Roedd yn well ganddi hi a Paul y lliwiau mwy anghyffredin, mwy cynnil: ymyl cwmwl wedi ei gleisio'n lliw eirin neu befriad melyn min y môr. Rhyw wyrdd olewydd nodedig oedd ei ffefryn. Caiff Marian bleser rhyfeddol o weld rhyw fymryn bach o'r lliw hwn yn y pellter hyd yn oed mor hwyr â hyn wrth iddi edrych i lawr yr arfordir.

Yn ôl yn y tŷ mae hi'n sipian ei hylif siocled, llawer rhy felys. Rhy boeth hefyd, yn llosgi top ei cheg. Mae hi ar bigau'r drain, heb allu edrych i fyw llygaid Paul yn y ffoto ar y ford. Mae hi'n penderfynu sôn wrtho am yr hyn sy'n gwasgu arni.

'Wnes i erioed ddweud celwydd wrthot ti pan o't ti 'da fi, Paul. Sa i'n mynd i ddechre nawr. Y llythyr bore 'ma. Ma' 'da fi beth alwodd Dr Howells yn *cutaneous horn*. Ie, corn yn tyfu mas o 'nghlust – o'n i'n meddwl 'set ti'n wherthin am 'na!'

Mae hi'n newid y sianel deledu o newyddion Sky i *Newsnight* BBC 2 yn y cefndir.

'Alle fe fod yn iawn. Ond alle fe fod yn gas hefyd. Ma' angen cael pip iawn arno fe. Ond maen nhw'n rhy fisi ar y funud. Pethau gwell 'da nhw i neud nag edrych ar hen ddinosor fel fi. Dyna 'nghyfraniad bach i i helpu'r NHS. Fy niolch i.'

Ac mae'n ddigon i adael pethau fel'na, wedi bwrw'i bola. Yn ôl ei harfer diweddar mae hi'n gwylio'r sianeli newyddion ymhell wedi hanner nos. Mae arni ofn mynd i'w gwely. Yn y gwely hwn y bu ei gŵr farw ar y bore Sul echrydus hwnnw ddwy flynedd 'nôl. Trodd ei wên siriol yn llythrennol yn llygadrythiad llawn braw ac mewn amrantiad roedd e wedi mynd yn ei breichiau. Postmon heini, llawn bywyd, dal yn ei bumdegau. Gwaedlif yn y stumog a dyna oedd ei diwedd hi. Wlser dwodenal wedi tyfu dros fisoedd, efallai blynyddoedd, wedi torri gwythïen fawr.

Yr wyneb brawychus sy'n dal i aflonyddu arni. Ei syfrdandod sydyn. Mae hi'n dal i deimlo'n ddiymadferth. Mor annigonol oedd jyst ei ddala yn ei breichiau, yn gwylio ei ên hardd wrth iddo newid o las golau i ryw lwyd estron.

Llwyddodd i ffonio am ambiwlans. Cyrhaeddodd hwnnw o fewn chwarter awr, oedd yn dipyn o gamp o ystyried ei safle gwledig arfordirol. Diolchodd hi i'r parafeddygon ond ni allent wneud unrhyw beth. Diolch NHS.

Er mwyn ei helpu i hwylio'r nos mae ganddi dros ugain o luniau o Paul mewn gwahanol gyfnodau o'i fywyd o amgylch yr ystafell wely. Nid yw'r merched yn gwybod hyn. Mae hi'n dod â rhai ohonyn nhw mas o gwpwrdd cyfagos bob nos. I roi nerth iddi. I'w hamddiffyn.

Er iddo edrych yn hapus ym mhob llun, yr wyneb olaf sy'n mynnu ei sylw.

Mae hi'n cymryd ei thabledi cysgu gyda gwydraid mawr o ddŵr ac yn gobeithio bydd heno'n wahanol. Byth ers iddi gael y tyfiant ar ei chlust mae pethau yn raddol wedi gwaethygu. Mae hi'n breuddwydio am grocodeiliaid a madfallod ac adar mawr a dinosoriaid hanner can tunnell.

Ond yn bennaf mae hi'n gweld ei wyneb. Wastad ei wyneb angheuol.

Heno try wyneb Paul mewn i un dinosor, ei ddannedd anferth melyn yn chwyrnu'n flin wrth i asteroid nesáu. Mae hi'n gafael yn ei ben bygythiol, llysnafeddog ac yn sgrechian arno i beidio'i gadael hi, i beidio'i gadael hi. Teimla ei chorff yn caledu, bron yn ffosileiddio. Crafangau yw ei hewinedd nawr yn cipio'r ên ymwthiol. O'r diwedd mae'n llwyddo i atal y chwyrnu drwy lynu ei hwyneb hi wrth ei un e. Ond nid cusan heddychlon mohoni. Cnoad ydyw, cnoad cas, ffyrnig, ei dannedd nawr yn llowcio'r wyneb, yn cnoi'r glustog.

Mae hi'n dihuno mewn cawod arall o chwys, yn peswch, yn poeri plu.

# Cadwch Eich Pellter

Anthony wedodd wrtha i am edrych ar yr albwm lluniau ohono i yn fabi ac yn blentyn a hefyd albwm ein priodas ni dros ddwy flynedd yn ôl nawr mae'n anodd credu ond oedd e'n syniad call edrych ar bethau hapus cyn i Mam droi lan i gael sgwrs fach cyn mynd i'r amlosgfa er mwyn trafod rhyw newid funud olaf am angladd Mam-gu doedd ddim syniad gyda fi beth ac o'n i'n meddwl falle dyle Mam a fi sôn am beth oedd y cysylltiad diwethaf gawson ni gyda Mam-gu druan i dorri'r iâ achos o'n i heb weld Mam chwaith heblaw ar sgrin ers y Flwyddyn Newydd sef dros ddeg wythnos cyn y Clo Mawr er bod hi ond dwy awr i ffwrdd yn y car man a man i'r dre oedd hi ynddi yng ngorllewin Cymru fod ar ryw blaned arall ac ers y Clo Mawr wrth gwrs roedd gyda hi'r esgus perffaith i gadw draw o Gaerdydd a lleddfu unrhyw gydwybod prin am ei diffyg ymweld â'i mam ei hun mewn sefyllfa ddieithr ddyrys newydd mewn cartref hen bobol ond o'n i moyn cadw'r sgwrs cadw ein pellter gyda'n gilydd tu fas i'r drws ffrynt mewn cywair priodol dwys achos fydden ni ddim yn cael cyfle i ddweud rhyw lawer wrth ein gilydd yn yr angladd ei hunan siŵr fod dan amodau llym y Clo Mawr ac wy'n dal i glywed yr ebychiad bach o wefusau crin Mam-gu a'i cheg wedi sychu'n grimp a'r ymdrech er y diffyg anadl i chwythu un gusan olaf drwy gyfrwng y ffôn a Siwsan y nyrs wych yng nghartref Afallon wedi tynnu masg ocsigen Mam-gu i lawr am eiliad er mwyn iddi gyflawni'r gamp a dyma Siwsan yn dweud 'Daloch chi hi?' am y gusan sef y gusan olaf un roedd Mam-gu wedi'i hanfon drwy wyrth technoleg fel rhyw dylwythen deg ysgafn yn hedfan o un rhan o Gaerdydd i'r llall yng nghanol nos a glanio'n swp cariadus ar fy swch a finne'n ateb 'do Mam-gu do cusan arbennig iawn fydda i'n 'i thrysori am byth' ac Anthony yn clywed y cryndod yn fy llais ym mherfeddion y nos ac yn gweld y gwewyr yn fy llygaid ac yn gafael yn fy llaw a finne'n dweud wrtha i fy hunan dere nawr Daf o't ti'n gwybod bod hyn yn mynd i ddigwydd man up 'achan ti'n gwybod yn iawn 'i bod hi wedi dala rhywbeth hefyd rhywbeth llawer mwy sinistr na chusan ond o'n i heb ddisgwyl i'r cwbwl ddigwydd mor glou rywsut er bod Siwsan oedd yn chwerthin yn gwrtais tu ôl i'w gorchudd tryloyw ar fy ymateb i'r 'gusan' a finne'n llwyddo i chwythu cusan 'nôl i mam-gu hefyd ie o'dd Siwsan wedi'n rhybuddio yn barod ond oedd e ddim yn neud synnwyr dim ond cwta chwe mis yn ôl oedd mam-gu wedi mynd mewn i Afallon a wnes i'n glir ar y pryd o'n i ddim yn siŵr bo' ni'n neud y peth iawn ond gollodd hi ryw sbarc yn ei llygaid unwaith wnaeth tad-cu ildio i sydynrwydd y cancr pancreatig a waethygodd yr hen glefyd ofnadwy dementia neu wy'n eitha licio'r gair Cymraeg sef gorddryswch yn rhannol achos bod e'n ddamweiniol yn cynnwys y gair gordd gan fod y clefyd uffernol hwnnw yn taro rhywun fel gordd ac yn sicr wnaeth e gipio'r fam-gu o'n i'n nabod ac yn ei charu i ffwrdd i ryw dir llwyd dieithr a Mam yn mynnu fod hi ddim yn saff ar ei phen ei hun ar ôl iddi neud ambell beth peryglus fel gadael cylchoedd trydan ei ffwrn ymlaen dros nos neu bethe mwy diniwed ond torcalonnus fel rhoi dillad brwnt mas ar y lein heb eu golchi a finne'n difaru dweud hyn wrth Mam fel 'sen i'n clapian ar Mam-gu tu ôl i'w chefn achos er 'mod i'n gwybod bod y tŷ yn fawr i un ac wy'n siŵr yn gallu bod yn unig ers i Tad-cu fynd o'n i hefyd yn siŵr y galle hi fod yn annibynnol a bydde'n well ganddi fod yn annibynnol a bod digon o ffrindiau'n galw i'w gweld hi'n rheolaidd ond Mam gafodd ei ffordd gyda Catrin a Marged yn cytuno â hi er dylai fy marn i ar y mater fod wedi cyfri mwy nag y gwnaeth e gan taw dim ond fi o'r pedwar â phleidlais ar y pwnc oedd yn dal i fyw yng Nghaerdydd ei hun fy nwy chwaer ar gyrion y ddinas a Mam yn y gorllewin ac yn bwysicach dim ond fi oedd yn ei gweld hi'n rheolaidd ac wedi cynnig iddi fyw gyda fi ag Anthony hefyd hyd yn oed ond Mam ddim moyn hynny yn sôn bod y cyflwr yn gallu neud i hen bobol droi yn gas ond mewn gwirionedd hi ei hun oedd yn bod yn gas yn ofni bydden i'n dylanwadu ar Mam-gu siŵr fod mewn rhyw ffordd fyddai'n neud i fi elwa'n ariannol unwaith eto gan i Mam warafun y pum mil o help llaw ges i gyda Mam-gu a Tad-cu i roi'r busnes ar ei draed a'r tair mil tuag at gost y briodas achos wy'n gwybod yn iawn sut mae'r cogiau bach maleisus yn troi'r dŵr i'w melin ei hun ym mhen hunanol gofalu-ar-ôl-rhif-un Mam yn gweithio ac am y ffordd mae hi'n gallu troi Catrin a Marged rownd ei bys bach hefyd ond ildio i Afallon a dymuniad fy nwy chwaer a Mam wnes inne hefyd yn y diwedd er mawr cywilydd i fi ond wrth gwrs wy ddim yn gwybod pa mor ymarferol fyddai cael Mam-gu fan hyn yn ein tŷ ni wedi bod a ninne'n gorfod rhedeg busnes bisi fel caffi Braf a Mam-gu'n gwaethygu fesul wythnos ond wy'n dal i deimlo'n euog na fynnais i fod hi'n dod aton ni a bydd rhan ohona i'n teimlo'n euog am byth er bod Anthony yn dweud wrtha i 'mod i wedi neud popeth allwn i iddi dan yr amgylchiadau a bod Tawelfan sef ei chartre hi a Tad-cu yn ardal Penylan o'r brifddinas yn rhy dawel o lawer i un ac oedd e'n ddwl 'mod i'n poenydio'n hunan i'r fath radde ac wy'n edrych arni nawr fel petai o'r newydd llun ohoni yn yr albwm lluniau yn fy nal i yn ei chôl yn fwndel bach tri chilogram mor ofalus fel 'sen i wedi fy ngwneud o wydr a hithe'n gwenu'n nerfus fel 'se hi erioed wedi cael babi yn ei chôl o'r blaen ond yn edrych yn rhyfeddol o ifanc yn ei chrys lliain ysgafn lliw hufen a pherlau chwaethus i fatsio o amgylch ei gwddf ac o edrych ar lun ohoni yn ein priodas dri deg mlynedd yn ddiweddarach mae hi'n dal i fod yn fenyw smart hunanfeddiannol ond â'r un olwg nerfus fel 'se hi'n or-ymwybodol o'r camera ac yn ffaelu ymlacio ac oedd mi oedd hi'n baradocs yn hynny o beth yn gallu bod yn hunanfeddiannol a hyderus ac ar yr un pryd yn coleddu nerfusrwydd a phetruster ac wy'n cofio cael sgwrs gyda Tad-cu am hyn ac oedd e o'r farn taw caledi ei magwraeth yn un o bump o blant i löwr a'i wraig mewn tŷ teras bach yng Nghwm Tawe oedd yn gyfrifol am yr anallu hwn i ymlacio'n llwyr wedi iddi golli ei thad mewn damwain pwll a cholli'i brawd mewn damwain car a'r digwyddiadau hynny wedi esgor ar ryw deimlad o beidio cymryd unrhyw beth yn ganiataol oedd wedi aros gyda hi am byth a hefyd o bosib wedi'i gwthio hi i yrfa yn weithiwr cymdeithasol a disgleirio yn y maes hwnnw am gynifer o flynyddoedd ac wy'n chwerthin nawr wrth weld llun ohoni â'i llaw wedi ymestyn ar led o flaen ei cheg wrth iddi chwythu cusan tuag ataf a finnau ond tua pump neu chwe blwydd oed yn fy mhyjamas Tomos y Tanc yn lond pen o gwrls du a'm llygaid llwyd yn llawn cyffro achos dyna oedd y ddefod arferol os oedd Mam-gu yn gwarchod sef cusan nos da ar ffurf tylwythen deg yn cael ei chwythu draw ataf o'i llaw i'm gwarchod tan y bore er erbyn meddwl gallai hynny fod yn syniad digon brawychus i grwt bach ond o'n i wrth fy modd ac wrth fy modd hefyd yn gwynto persawr cryf Mam-gu yn enwedig y Chanel oedd yn llenwi'r ystafell am y noson gyfan fel rhyw niwl melys neu gwrlid cynnes i'm hamddiffyn a byddai Mam-gu weithiau'n ailgydio yn yr arfer o chwythu'r gusan fel rhyw fath o dynnu coes hyd yn oed pan o'n i'n oedolyn ar noson lansiad Braf er enghraifft a hithau'n awyddus i fi ddangos iddi sut o'n i'n gwneud y siâp calon frown oedd ar ewyn hufen pob *latte* ac wedi dotio 'mod i'n gwerthu calon mewn cwpan ac wy'n falch wnes i chwythu cusan 'nôl ati ar noson dyngedfennol ei gadael hi o'r hen fyd yma achos wy'n credu neu'n gobeithio o leiaf i hynny fod o ryw gymorth iddi druan yn ei gwendid olaf er ei bod hi mae'n siŵr yn cael nerth mawr o'i ffydd hefyd er bod e'n anodd dweud am hynny a hithe mor ddryslyd yn yr wythnose diwethaf yn canu 'Iesu Tirion' iddi'i hunan dro ar ôl tro yn ôl Siwsan a wnaeth hi hynny ar Skype i fi hefyd cwpwl o weithiau gan gofio'r geiriau i gyd ond anghofio fy enw i sawl gwaith 'na beth sy'n boenus o drist ac wrth i fi edrych ar y cloc

yn yr alcof ym mhen pellaf yr ystafell a meddwl bod Mam yn
hwyr fel arfer dyma fi'n clywed blîp bach ar fy ffôn wrth iddo
ddirgrynnu'n ysgafn tu fewn i boced fewnol siaced fy siwt yn
dynodi tecst oddi wrthi yn dweud 'i bod hi ar y pafin tu fas i'r
tŷ a dyma Anthony yn sylwi arnaf yn darllen y tecst ac yn codi
ar fy nhraed ac mae e'n gafael yn gryf yn arddwrn fy llaw chwith
ac yn fy atgoffa bod Mam wedi colli ei mam a bod heddiw'n
emosiynol iawn iddi hi hefyd ac yn dweud wrtha i am fod yn
amyneddgar gyda hi ac wrth iddo wasgu fy arddwrn yn annwyl
dyma fe'n gwenu arnaf a dweud cadw dy ben nawr cariad a dyna
o'n i'n bwriadu neud ta beth wrth fynd mas ar hyd y llwybr bach
yn arwain o ddrws y ffrynt a chwrdd â hi ger y clawdd gan gadw
ein pellter priodol o ddau fetr sef cadw pethau'n waraidd ac yn
sifil er mwyn Mam-gu ond y peth cyntaf wnes i sylwi oedd ei
ffrog binc lachar hi fel candi fflos sef yr union ffrog a wisgodd
hi i'n priodas ni ac oedd ei gwallt yn rhibidirês o edau tew du
fel licris blêr a gormod o fasgara arni hefyd yn gwneud iddi
edrych fel y drag artist yna ar S4C Maggi Noggi ac mae'n rhaid
'i bod hi wedi sylwi ar fy ngolwg syn achos dyma hi'n egluro'r
wisg yn syth ac yn dweud bod hi wedi siarad gyda Siwsan drwy'r
ffenest yn Afallon a chael ychydig o hanes Mam-gu yn y cartref
yn ystod ei chyfnod yno ac mae'n debyg ei bod hi'n hoff iawn o
rannu ei siocledi Quality Street gyda'i chyd-breswylwyr yn
Afallon yn hollol ddiogel am y misoedd cyn y Clo Mawr a hyd
yn oed wedyn mewn ffordd saff wrth gwrs trwy fenig diogel
Siwsan a'r pennaeth Martha a bod Mam a Siwsan wedi taro ar
y syniad y dyle'r teulu o alarwyr wisgo'n llachar fel lliwiau
papurau lapio'r siocledi ar gyfer yr angladd yn enwedig gan fod
Mam-gu wedi dweud 'i bod hi'n licio'r siocledi oherwydd
lliwiau'r papurau ac a oeddwn i'n gwybod am hynny holodd hi
mewn rhyw ffordd ffwrdd-â-hi smala a wedes i mewn modd
mor amyneddgar â phosib heb daro fy mhen yn erbyn y giât
mewn rhwystredigaeth fy mod i'n gwybod oeddwn yn gwybod
yn iawn ond eto ddim yn gweld bod hyn yn ddigon o reswm i
bawb wisgo lan fel siocledi chwaith ond llwyddais i gnoi fy

nhafod am y tro achos roedd Mam wedi colli ei mam fel wedodd Anthony a dim ond deg ohonon ni fyddai yno ta beth ac i ddweud y gwir roedd hi'n ddiwrnod mor hyfryd o braf efallai y byddai bach o liw yn addas ac fel mae'n digwydd ni fyddai rhaid i Anthony na finne newid o'n siwtiau glas gan fod un o'r siocledi sef yr un coconyt os gofia i'n iawn yn debyg iawn i liw ein gwisgoedd ni ta beth ac wedyn wedodd Mam bod hi wedi siarad gyda'r Parchedig Anwen oedd yn newydd i'r capel a ddim wir yn nabod Mam-gu o gwbl yn fy marn i ie bod hi wedi siarad gyda'r Parchedig yn barod am hyn ac roedd popeth yn iawn gyda hi ac efallai byddai modd cael gwasanaeth coffa mwy ffurfiol yn y capel ei hun unwaith y byddai'n ddiogel i wneud hynny ar ôl llacio rhywfaint ar y Clo Mawr a bod Catrin a Marged eisoes wedi cael gwybod hefyd am y cynllun gwisgoedd ac yn hoffi'r syniad ac felly gytunes i heb wneud unrhyw ffwdan gan gymryd taw hwn oedd y newid munud olaf roedd hi wedi bod moyn sôn amdano a dechreuais i ddweud am y tro diwetha i fi weld Mam-gu ar Skype a Mam yn dweud cafodd hi 'i gweld hi yr un noson a chael cyfle i ffarwelio â hi hefyd ac er nad oedd y peth yn ddelfrydol o bell ffordd roedd e'n galondid i Mam wybod bod rhywun fel Siwsan yn dal llaw Mam-gu yn y diwedd un a'i bod hi wedi cael y gofal gorau o dan yr amgylchiadau ac wedi drifftio i drwmgwsg yn ôl y pennaeth Martha oedd wedi cael nifer o ffrindie newydd Mam-gu yn Afallon i lofnodi mewn ffordd ddiogel carden fawr gyda llun bocs Quality Street ar y ffrynt i ddatgan eu cydymdeimlad i ni fel teulu ac oedd hyd yn oed rhywun sy'n gyfarwydd â sefyllfaoedd fel hyn fel y Parchedig Anwen wedi cael talpyn yn ei gwddf yn ôl Mam o weld y fath agosatrwydd cymunedol yn Afallon dan y fath amgylchiadau amhersonol llym ac o'n i'n hanner disgwyl i Mam fynd wedyn gan fod Maldwyn ei gŵr yn aros amdani yn Tawelfan a llai na dwy awr tan ein slot ni yn yr amlosgfa ond wedyn dyma hi'n sôn mor od oedd cysgu neithiwr draw ym Mhenylan a'r lle mor wag heb Mam-gu na Tad-cu 'na a'i bod hi wedi difaru peidio derbyn y cynnig preifat ar y lle jyst cyn y

Dolig erbyn hyn gan y byddai prisie tai yn siŵr o gwympo trwy'r
llawr o achos y feirws diawledig hyn ac o leia doedd ei mam
ddim wedi cael ei gorfodi i werthu a'r holl strach emosiynol
fydde'n esgor o hynny os byddai'n sylweddoli ond wy'n gwybod
yn iawn fod Mam-gu wedi bod yn becso am y gost o'i chynnal
ei hun yn Afallon ac wedi diodde'n ddiangen gan orfod twrio
i'w chynilion i'w chynnal ac roedd rhyw larwm bach yn canu yn
fy mhen yn gofyn pam fod Mam yn codi hyn nawr ac o gofio ei
hanes gwael hi am helpu unrhyw aelod o'r teulu'n ariannol
heblaw hi ei hun dyma fi'n gofyn a oedd rhywbeth arall gyda hi
i'w godi nawr 'i bod hi yma a dyma hi'n sôn 'i bod hi wedi siarad
gyda Catrin a Marged ac yn meddwl ei bod hi'n deg rhannu cost
yr angladd rhwng y pedwar ohonon ni ac o glywed hyn dyma
Anthony yn ymddangos o'r cysgodion wedi bod yn gwrando tu
ôl i'r drws ffrynt cilagored gan edrych yn flin ac yn ysgwyd ei
ben a finne'n dweud bod costau angladd fel arfer yn cael eu talu
o ystâd yr ymadawedig a dylai Mam fel ysgutor yr ewyllys
wybod hynny'n iawn ond dyma Mam yn dweud bod y feirws yn
mynd i daro oriel gelf a siop Maldwyn yn galed a'u bod nhw'n
becso'n ofnadwy am y dyfodol fel 'se Anthony a fi a'r rhan fwyaf
o boblogaeth Cymru ddim yn yr un cwch â hi a fflipin Maldwyn
a'r gofid o orfod meddwl sut i ailgydio mewn pethe yn Braf yn
gwneud i'r ddau ohonon ni golli cwsg ac yn achos Anthony wedi
gwneud i'w wallt ddechre britho cyn ei amser ond yna'n goron
ar y cwbwl dyma hi'n sôn bod un o'r emynau a ddewiswyd i'w
chwarae yn yr angladd wedi newid ar y funud olaf hefyd a nawr
bod 'Iesu Tirion' wedi cymryd lle 'Pantyfedwen' a finne erbyn
hyn yn ysgwyd fy mhen mewn anghrediniaeth ac yn ei cholli hi
braidd gan weiddi arni bod hynna'n syniad dwl ond Mam wedyn
yn mynnu bod yr emyn hwnnw yn golygu lot i Mam-gu ar y
diwedd a bod Siwsan a Martha a'r Parchedig Anwen i gyd yn
meddwl bod e'n syniad da a finne'n taranu petai hi wedi
trafferthu ymweld â'i mam o gwbwl yn Afallon bydde hi wedi
gweld taw rhyw lithro'n ôl truenus i'w phlentyndod oedd 'Iesu
Tirion' a dim byd arall a bod mwy i Mam-gu na phlentyn bach

yn plygu lawr ac ar y pwynt hwn dyma hi'n dweud wrthyf am gadw'n llais i lawr a bod fy nghymdogion yn fy nghlywed a finne yn dweud bod dim ots 'da fi pwy oedd yn fy nghlywed a 'mod i'n meddwl pob gair ac wedyn ac wedyn ac wedyn wy'n dal i ffaelu credu hyn dyma hi'n rhuthro draw ataf i gan dorri pob rheol y Clo Mawr a threial rhoi cwtsh i fi a finne'n ei gwthio hi i ffwrdd ac Anthony'n dweud wrthi am gadw ei phellter y bitsh wallgo a bod e'n hen bryd iddi fynd nawr gan oedd hi wedi creu hen ddigon o drafferth a finne'n dwlu gweld wyneb syn croch Mam wedi'i rewi'n syfrdan o glywed y fath iaith goch yn ei herbyn oddi wrth ei mab-yng-nghyfraith a hynny ar ddiwrnod angladd ei mam a finne mor browd o Anthony oedd yn dal i ddal dig sef dicter y cyfiawn nad oedd e am ba bynnag reswm wedi cael ei gofleidio i galon y teulu gan Mam jyst rhyw sws fach gyndyn ar y boch hyd yn oed ar ddydd ein priodas er ei bod hi'n gymeriad digon touchy feely gyda phawb arall erioed ac yn wir wedi rhedeg i ffwrdd gyda Maldwyn a gadael Dad pan oedden ni i gyd dal yn yr ysgol gynradd a finne wedi bod yn chwydu am wythnose mae'n debyg a tharo fy mhen yn erbyn y wal yn mynnu bod Mam a Dad yn dod 'nôl at ei gilydd ond y gobaith hynny'n mynd yn ofer a Dad wedyn maes o law yn symud i Lundain ac yfed ei hun i fedd cynnar ond wy wedi treial a threial peidio dal dig tuag ati ac wedi canfod ynys o hapusrwydd na feddylies oedd yn bosib gydag Anthony ac er i fi dreial fy ngore yn yr angladd y prynhawn hwnnw aeth pethe o ddrwg i waeth os rhywbeth wrth i'r arwyddion Cadwch Eich Pellter ddatgan eu neges o bob cyfeiriad ar y tir tu fas i'r amlosgfa yn ogystal ag yn yr adeilad ei hun bron fel 'se fe'n rhyw le i dreial eich prawf gyrru yn hytrach na ffarwelio ag anwyliaid ond dechreuodd pethe'n wael wrth i fi weld Marged druan yn llefain y dŵr a finne heb allu dal ei llaw heb sôn am ei chofleidio a gwylio Catrin wynebgaled yr un ffunud â Mam yn darllen cyfieithiad Jim Parc Nest o gerdd enwog Dylan Thomas i'w dad fel y gwnaeth hi hefyd yn angladd Dad ond yn waeth na dim gorfod dioddef y Parchedig Anwen yn rhoi crynodeb o fywyd

Mam-gu gan ddweud fod Beryl Harris yn boblogaidd iawn yn Afallon ac yn enwog am rannu ei siocledi Quality Street ac ai am hynny fydde Mam-gu yn cael ei chofio nawr am rannu losin ym mlodau gwywedig ei henaint plentynnaidd mawredd sy'n gwybod o'n i mor grac nes i fi fynnu cerdded draw i'r blaen ac er 'mod i wedi gwrthod yn wreiddiol y cynnig o ddweud gair am Mam-gu yn yr amlosgfa yn rhannol oherwydd o'n i'n gwybod y bydden i'n ypsét ond hefyd gan y bydde'n fwy addas sôn amdani o flaen oedfa iawn o'i hen gyfeillion a selogion y capel pan fyddai'r Clo Mawr wedi ei godi dyna oedd y rhesymeg wel dyma fi'n codi ta beth codi natur codi twrw ac er gwaetha rhwystr fy masg yn datgan â llais clir croyw bod mwy i Beryl Harris na rhannu bocs o Quality Street a'i bod hi wedi bod yn weithiwr cymdeithasol arloesol ymhell o flaen ei hoes ac yn fam dda ac yn fam-gu wych ond yn bennaf oll yn gymar arbennig i'w gŵr Edgar Harris sef Tad-cu a bod sylfaen eu priodas am bum deg naw o flynyddoedd wedi ei selio ar gariad dwfn a dealltwriaeth a pharch i'w chymar a'i ffrind gorau fel y dylai unrhyw briodas gwerth ei halen fod ac er mawr syndod i mi dyma fi'n gweld fy mam bengaled yn dechrau beichio llefain a Maldwyn yn rhythu arnaf gan godi ei law i fyny fel plisman traffig a Catrin a'i gŵr Elfyn yn edrych yn flin hefyd heb sôn am y Parchedig Anwen yn gwgu'n syn â'i llygaid crac ond roedd Marged wedi stopi llefain a'i phartner Cai hyd yn oed yn codi'i fawd yn gefnogol ac yn bwysicach na dim Anthony yn nodio'i ben yn frwd ac er ei bod hi'n brynhawn emosiynol i ni i gyd wnes i ddim difaru dweud yr hyn wnes i na dweud wrth Mam ar y ffordd mas y dyle hi fod wedi mynd i weld Mam-gu yn Afallon cyn y Clo Mawr a 'mod i'n meddwl bod ei chadw draw hi yn greulon ac oeraidd a hithe yn ateb yn syml ei bod hi wedi colli Mam-gu chwe mis yn ôl ac wedi ffarwelio yn ei phen â hi yr adeg hynny gan ei bod hi'n ffaelu diodde ei gweld yn y fath gyflwr truenus dyna oedd y gwir a nawr wy'n sipian glased o whisgi Penderyn mas yng ngardd ein tŷ ni yn ardal Trelluest o Gaerdydd yn gwylio'r haul yn machlud yn y Bae yn y pellter yn

codi llwncdestun er cof am Mam-gu ac yn meddwl wrth wylio'r
hylif yn un o'n gwydrau cut-glass trwm gorau am bersawr Beryl
Harris wrth iddi fy magu yn grwt ac yn ceisio fy ngorau glas i
ail-greu arogl melys ei Chanel fel cwrlid cynnes i'm diogelu rhag
y byd ond yn lle hynny drewdod cyfoglyd gor-felys candi fflos
a licris sy'n llenwi fy ffroenau sy'n ddigon i droi fy stumog ac
er mawr syndod i Anthony ac i finne hefyd wy'n chwydu dros y
rhododendrons yn sâl fel ci ac yn cael gwared â mwy na'r
brechdanau gawson ni 'nôl adre wedi'r angladd yn cael gwared
â chig a gwaed.

# Annibyniaeth

Meddyliodd Ifan iddo glywed sŵn lorri yn brecio wrth iddi ddod i lawr y rhiw serth i mewn i'r dre. O wrando'n fwy astud a dihuno'n iawn sylweddolodd taw chwiban uchel y gwynt uwchlaw grwndi'r tonnau yn y cei oedd achos ei aflonyddwch. Gan orwedd yn syth ynghanol ei wely gwrandawodd drachefn ar y chwibanu grymus a murmur bas y môr. Gyda chymaint o erchyllterau yn digwydd ar y funud gallai rhywun dybio taw'r byd ei hun oedd yn llefain.

Hoffai Ifan orwedd ar ei gefn yn union ynghanol ei wely, gyda'r un maint o ofod y naill ochr i'r llall iddo. Byddai'n cael rhyw bleser anghyffredin o ddihuno yn y cyflwr hwn, yn union yn y canol, wedi ymestyn ei gorff yn hir. Hoffai feddwl ei fod wedi bod fel hyn trwy'r nos ond gwyddai'n iawn y byddai o bryd i'w gilydd yn crwydro yn ei gwsg er ei waethaf. Weithiau, er mawr siom iddo, byddai'n llithro i orwedd ar ei ochr. Erbyn y bore byddai wedi adfer ei ddisgyblaeth ac yn ddieithriad yn dihuno yn y safle canolog angenrheidiol, un fraich yn syth i lawr yr ochr dde, y llall yn syth i lawr yr ochr chwith.

Hyd yn oed gyda'r gwynt yn tynnu ei sylw roedd ei safle heddiw yn union yr un peth ag arfer. Cafodd ysfa i edrych i'r dde ac yna i'r chwith er mwyn cadarnhau hyn yn weledol ond gwrthododd y demtasiwn. O wyro ei ben i'r naill ochr neu'r llall byddai cydbwysedd bregus y fath gymesuredd boddhaus mewn perygl. Ar ôl bron i saith mlynedd o ymarfer roedd Ifan yn gwybod yn reddfol erbyn hyn os oedd e bang yn y man canol. Wedi taro'r bullseye. Yn y dyddiau cynnar byddai'n defnyddio tâp mesur hyd yn oed i brofi'r peth ond nid oedd wedi trafferthu gwneud hynny ers amser maith. Mae rhai adar yn medru hedfan hanner ffordd ar draws y byd yn reddfol. Roedd gan Ifan ddealltwriaeth gynhenid ddigon tebyg, dawn os mynnwch chi, ynglŷn â'i safle dihuno dyddiol.

Byddai'r angerdd hwn am gymesuredd yn cael ei fynegi mewn cymaint o wahanol bethau. Nid jyst pethau wedi eu gwneud gan bobol, fel byrddau dartiau neu garpedi, chwaith. Blodau, er enghraifft. Hoffai'r ffordd y byddai eu petalau neu hyd yn oed eu coesynnau o'u hollti ar eu hyd bob tro'n datguddio dau hanner yr un fath ond eto'n wrthgyferbyniol. Mewn ffordd debyg credai Ifan fod y llanw yn dod mewn ac yna'n mynd mas eto mewn patrwm rheolaidd yn rhyw fath o wyrth. Ni allai ddeall pobol nad oedden nhw'n gweld hyn fel rhan o gynllun bwriadol. A'r cynllunydd, wrth gwrs, oedd Duw.

Pan ddaeth y Clo Mawr, yn sydyn roedd gan Ifan gryn dipyn o amser ar ei ddwylo. I ystyried. Eglurodd JD iddo am ei gynllun ffyrlo. Nid oedd Ifan wedi clywed y gair o'r blaen. Roedd hyn wedi ei synnu achos roedd e'n falch iawn fel arfer o'i eirfa eang, yn enwedig yn Saesneg. Mae rhai pobol yn cyfri defaid i'w helpu i fynd i gysgu. Cyfra Ifan eiriau, gan amlaf rhai newydd sbon, newydd eu dysgu. Nid dod o hyd iddyn nhw jyst trwy'r radio neu deledu neu Facebook neu hyd yn oed ddarllen chwaith. Roedd e wrth ei fodd yn edrych geiriau i fyny mewn geiriadur. Un awr ginio daliodd Ed, mab JD, e'n pori mewn un bach poced Collins. Ers hynny bathwyd llysenw iddo: y Professor. Nid yw'n meindio hyn. Sylweddola taw jyst bach o hwyl yw e. Er nad oes ganddo wir syniad beth sy mor ddoniol am osodwr carpedi yn cadw geiriadur ym mhoced gefn ei jîns chwaith.

Golyga'r ffyrlo yn fras y byddai JD Carpets yn cau lawr dros dro ond byddai Ifan dal yn cael y rhan fwyaf o'i gyflog. Ar y dechrau doedd e ddim yn meindio. Byddai'n gwneud pob math o gynlluniau. Byddai'n prynu pethau ar-lein, gemau fideo yn bennaf. Neu stwff ar gyfer ei ardd, potiau yn ogystal â phlanhigion. Ffeindiodd ei hen fwrdd dartiau yn y sied a'i osod i fyny gan basio ambell awr yn ceisio ail-ganfod ei hen fedrusrwydd yn y gamp honno. Peintiodd ei ddrws ffrynt yn wyn disglair, pur. Y bore 'ma, ar ôl ei frecwast coffi a thost arferol, bu'n ymarfer yn drylwyr ysgrifennu gair â'r paent oedd yn weddill. Bu'n defnyddio hen gylchgronau a phapurau newydd fel rhyw fath o gynfas. Mae saith llythyren mewn 'Casineb' felly ni fydd fawr o le iddo, yn enwedig i'r 'C' fawr. Mae Ifan am i'r gwaith fod yn daclus, i ddangos parch.

I ddechrau, wnaeth e fwynhau'r Clo Mawr. Byddai'n cymryd ei ymarfer corff dyddiol drwy redeg ar hyd yr afon lan i dŷ'r Ymddiriedolaeth Genedlaethol ac yn ôl. Byddai'r amser yn hedfan wrth iddo wrando ar gerddoriaeth a rhannu'r cyfanswm o bum milltir lan yn ddognau llai yn ei ben. Cant o ddognau dilyniant wyth cam, yna hoe/wâc o bum dilyniant wyth cam cyn ailadrodd y patrwm dro ar ôl tro. Roedd y bywyd gwyllt a welai wrth redeg yn wefreiddiol, gan gynnwys crëyr glas oedd yn yr afon yn rheolaidd. Weithiau byddai barcud yn amgylchynu'n fygythiol hefyd.

Byddai'n gwneud ei siopa wythnosol yn yr archfarchnad fach leol, gan wisgo mwgwd a menig addas a pharatoi rhestr o nwyddau o flaen llaw cyn mynd. Ni fyddai'n caniatáu iddo'i hun brynu unrhyw beth nad oedd ar y rhestr. Yn hytrach na theimlo bod y rheol hon yn ei gyfyngu teimla Ifan ei bod hi'n hanfodol, a bod creu'r rhestr yn llawer mwy cyffrous o'r herwydd.

Er ei fod yn torri amodau'r Clo Mawr yn dechnegol byddai hefyd yn mynd am wâc ger y môr ar y rhan fwyaf o nosweithiau, ar y pafin uwchben y traeth. Byddai'n camu ar draws pob llinell yn y pafin ar ongl o naw deg gradd ar y ffordd mas. Yna'n camu'n syth ar hyd pob llinell pafin ar y ffordd 'nôl, oedd wrth reswm yn llawer mwy o ymdrech a siŵr o fod yn edrych yn od i unrhyw un oedd yn ei wylio.

Yn bennaf byddai'n gwylio'r teledu, yn enwedig y newyddion. Yn raddol, wrth i wythnosau'r Clo Mawr fynd ymlaen ac ymlaen ac wrth i nifer y marwolaethau dyddiol fynd yn uwch ac yn uwch, roedd Ifan yn digalonni. Nid oedd ganddo fawr o amynedd gyda gwleidyddion. Roedden nhw fel petaent yn dweud celwydd trwy'r adeg ac yn trin y cyhoedd fel ffyliaid. Ni welai fai ar ddarllenwyr newyddion na'r newyddiadurwyr na'r gwyddonwyr. Roedden nhw jyst yn gweithredu eu swyddi yn y ffordd orau y medrent.

Yn raddol, er mawr syndod iddo, dechreuodd feio Duw.

Cafodd y syniad pa air i'w beintio pan ymwelodd â'r fynwent adeg y Sulgwyn i roi lilis gwynion ar fedd ei rieni. Er iddo weld y geiriau 'Duw Cariad Yw' gannoedd o weithiau o'r blaen, ar yr hysbysfwrdd wrth ymyl y fynedfa, y tro hwn wnaethon nhw ddala yn ei lwnc rywsut. Fel asgwrn tolciog, yn gwrthod cael ei dderbyn. Yn achosi poen.

Sut allai Duw fod yn Gariad? Os taw Ef a greodd holl gymesuredd hardd y byd, yna Ef oedd yn gyfrifol am y pethau ofnadwy hefyd. Nid jyst y feirws ond y pethau erchyll ar y newyddion yr wythnos ddiwethaf, fel marwolaeth George Floyd, neu herwgipio Madeleine McCann druan ers talwm. Neu ai'r drwg mewn Dyn oedd hynna?

Rhain oedd y myfyrdodau dwys a ymgasglodd fel haid o wenyn ym mhen Ifan wrth iddo beintio'n ofalus iawn y gair 'Casineb' drosodd a throsodd ar yr hen gylchgronau a'r papurau newydd ar ford ei gegin, ei dafod mas, yn canolbwyntio'n drylwyr.

Nid oedd yn gwneud unrhyw synnwyr i Ifan. Os oedd Duw wir yn Gariad Yw yna fyddai dim rhaid iddo fe fod wedi claddu unrhyw beth yn ei ardd saith mlynedd yn ôl.

Gyda dim ond wythnos i fynd tan y briodas dywedodd Annes wrtho nad oedd hi am ei briodi. Roedd hi'n sori ond roedd hi wedi gwneud camgymeriad. Roedd hi moyn bod yn annibynnol. Bu'r ddau'n mynd mas gyda'i gilydd ers dwy flynedd – wnaethon nhw gwrdd pan oedd Ifan yn dri deg chwech ac Annes yn dri deg pedwar. Roedd hi'n byw mewn pentref bach, rhes o dai mewn gwirionedd, chwe milltir i'r de o'r dre. Fe osododd Ifan garped iddi, un gwlân glas, yn y ddwy ystafell wely ac ar hyd y landin bach oedd yn eu cysylltu nhw.

Er ei fod e'n hoffi geiriau roedd e'n ei ffeindio hi'n anodd mynegi ei hun. Roedd rhywbeth am Annes a wnâi i'w wddf boethi mewn ffordd ddymunol a throi'n goch pan geisiai siarad â hi. Mae e'n cofio ei fŷg cyntaf o de gyda hi pan soniodd am bwysigrwydd cael isgarped o safon. Pwysleisiodd nad oedd unrhyw garped ond cystal â'r haen oddi tano. Credai Ifan hynny am bobol hefyd. Taw'r pethau anweledig yn aml oedd y rhai mwyaf dadlennol.

Bu ymateb ei fam i'r tor-perthynas yn aflednais. Llefain y dŵr am ddyddiau. Sut fyddai hi'n medru wynebu mynd i gapel Moreia fyth eto? Sut fyddai hi'n medru cerdded o amgylch y dre ac edrych i fyw llygaid pobol heb wywo'n llawn embaras? Roedd yn rhaid iddi ganfod bai ar rywun am y chwalfa ac Ifan oedd hwnnw. Roedd e'n rhy dawel, fel ei dad. Yn byw gormod yn ei ben. Nid oedd unrhyw ryfedd fod Annes wedi ei adael.

Mae Ifan yn cwblhau peintio'r gair ac yn mynd mas i'r sied i hôl potel o wirod gwyn. Nid oes wir ei angen ar ei frws ond hoffa'r arogl tyrpant. Tra'i fod yno mae e'n taflu ychydig o ddartiau at y bwrdd dartiau sy'n hongian ar y drws pren, hwnnw'n frith smotiog o hanes hen dafliadau cam. Llenwa ei ysgyfaint â'r cymysgedd cyfarwydd o bren a glo, tamp a phaent. Fan hyn y byddai Ifan yn Leighton Rees a'i chwaer Myfanwy yn Jocky Wilson. Weithiau, allan o gymeriad yn llwyr, byddai ei dad yn ymuno â hwy gan ddynwared y Voice of Darts chwedlonol, Sid Waddel.

Roedd yr hyn ddywedodd ei fam yn ddigon gwir. Ar y cyfan, dyn mewnblyg oedd ei dad. Efallai fod ei swydd, gyrrwr lorri, yn rhwym o wneud i chi fynd fel'na, jyst chi a'r radio am oriau, neu am ddyddiau weithiau. Er hynny, pan fyddai'n mynegi barn byddai'n gwneud hynny gyda rhyw swyn tawel ac awdurdod nad oedd ganddi hi o gwbl.

Roedd ei dad yn hoff iawn o'r dyfyniad 'Nature, red in tooth and claw'. Mae Ifan yn meddwl mai tua saith oed oedd e pan glywodd y geiriau hyn am y tro cyntaf. Roedd llygoden wedi ei lladd yn yr ardd. Dim ond ei phen bach oedd ar ôl. Roedd Ifan am ei chladdu a helpodd ei dad e i wneud hynny yn y border ger y wal gefn, gan ddefnyddio rhaw law fetel goch â choes bren iddi. Ac felly y sbardunwyd chwilfrydedd ychydig yn afiach Ifan am ochr fwy tywyll Natur. Gan esgus chwilio am fwydod ar gyfer pysgota bu i Ifan, dros y blynyddoedd, gladdu gweddillion sawl creadur bach arall, yn gnofilod ac adar ac unwaith un draenog mawr llawn chwain. Pan sylweddolodd ei fam yr hyn roedd e'n ei wneud cafodd gerydd llym a'i alw'n 'fachgen bach od'. Testun difyrrwch oedd yr ymddygiad i'w dad, a ddwedodd wrth ei fam efallai y byddai Ifan yn tyfu lan i fod yn dorrwr beddau neu'n drefnwr angladdau. 'Neu'n llofrudd,' oedd ateb sur ei fam.

Roedd gan ei dad fwy o amynedd na'i fam. Ar ôl iddo ddefnyddio'i hoff ddyfyniad eto fyth holodd Ifan o'r diwedd beth yn gwmws oedd ei ystyr. Mae Ifan yn cofio'i dad yn eistedd yn ei gadair arferol wrth ymyl y lle tân yn tynnu'n ddwfn ar ei sigarét cyn ateb. Dywedodd fod y byd yn greulon weithiau, ond roedd yn rhaid iddo fod felly oherwydd dyna oedd trefn naturiol pethau. Roedd cadnoid yn lladd ieir achos bod yn rhaid iddyn nhw fwyta. Roedd adar ysglyfaethus yn disgyn ar greaduriaid bach diniwed am yr un rheswm. Dyna ffordd Natur. Y peth pwysig oedd peidio ag ymyrryd ar y gadwyn fwyd. Felly, er bod pethau'n edrych yn greulon ar yr wyneb, roedd popeth yn gwneud synnwyr oherwydd ym myd Natur roedd popeth yn dibynnu ar ei gilydd.

Wrth iddo anelu am ugain triphlyg yn y sied yng ngolau'r bwlb sengl daw geiriau ei dad yn ôl i Ifan. Ym myd Natur roedd popeth yn dibynnu ar ei gilydd. Un o'r prif ddamcaniaethau ynglŷn â tharddiad y coronafeirws oedd bod person mewn marchnad yn Tsieina wedi prynu creadur o'r enw pangolin oedd wedi ei lygru gan ystlum. Yna roedd wedi ei fwyta a thrwy wneud hynny fe drosglwyddwyd y feirws o un rhywogaeth i un arall. Dyna sut roedd Ifan yn deall pethau, ta beth. Oedodd am ennyd cyn taflu, gan syllu ar flaen platinwm ei ddart yn disgleirio yn y golau artiffisial a phendroni am debygolrwydd yr hanes byd-eang hwn. Os oedd e'n wir, yna doedd bosib mai

Dyn ei hun oedd wedi croesi rhyw linell naturiol, gan daflu cydbwysedd bregus Natur mewn i anhrefn? Roedd Duw wedi creu trefn naturiol pethau a Dyn wedi ei lygru. Culhaodd Ifan ei lygaid a chanolbwyntio ar ei aneliad, ond dim ond un sgoriodd â'i ddart.

Ond doedd fawr o ots ganddo. Oherwydd roedd galw geiriau ei dad i gof wedi cadarnhau iddo wneud y penderfyniad iawn yr wythnos ddiwethaf pan ymunodd â Yes Cymru. Os yw Dyn yn ddiffygiol yna mae hi lan i ddynion a menywod eraill i unioni'r diffygion hynny. I geisio creu byd gwell. Mewn ffordd fach bydd e'n rhan o'r broses honno wrth helpu i greu Cymru Rydd. Ymunodd â Twitter yn ystod y Clo Mawr a dilyn Yes Cymru gan gytuno â bron bob gair a ddywedwyd ganddynt. Nid oedd Llundain yn becso dam am Gymru. Bu'n hawdd iawn i Ifan ymuno â'r mudiad, fel cannoedd o'i gyd-wladwyr yn ystod y misoedd diwethaf. Roedd eu holl hwyl a'u brwdfrydedd wedi rhoi cymuned newydd iddo. Roedd e'n synnu na feddyliodd am ymuno ynghynt.

Pan ddychwelodd i'r tŷ arllwysodd ychydig o'r gwirod mewn i hen jar jam a gadael i flew'r brws socian. Cyrhaeddodd ei becyn croeso o Yes Cymru y diwrnod cynt ac roedd cynnwys hwnnw, ac eithrio ei gerdyn aelodaeth a oedd yn ddiogel yn ei waled, ar y cabinet tîc yn yr ystafell fyw. Cododd lythyr dwyieithog y Cadeirydd ac edrych arno'n ddwys. Roedd cwpwl o sticeri yno hefyd â'r geiriau Yes Cymru mewn gwyn ar gefndir coch, a phoster a'r geiriau 'Rwy'n Cefnogi Annibyniaeth/I Support Welsh Independence' arno. Hoff eitem Ifan yn y pecyn oedd pamffled â'r teitl 'Westminster Isn't Working!' Roedd e'n nodi mewn deg pwynt pam y byddai Cymru'n well fel gwlad annibynnol ac roedd Ifan eisoes wedi ei ddarllen dair gwaith. Hoffai'r ebychnod ar y diwedd, fel pe bai'r pamffled ei hun yn codi ei lais, wedi danto'n llwyr.

Mae Ifan yn canfod stribyn o Blu Tack mewn drâr ac yn gosod y poster lan yn ffenest ei ystafell ffrynt. Gwena'n fewnol, yn gwybod yn iawn y byddai ei fam yn arswydo o weld y fath beth. Byddai hi'n meddwl taw tynnu sylw ato'i hun fyddai hyn. Byddai'n becso beth fyddai'r gymuned yng nghapel Moreia'n feddwl. Yr unig adeg i Ifan ei chofio hi'n gwneud unrhyw safiad gwleidyddol erioed oedd adeg priodasau brenhinol, pan fyddai blaen y tŷ yn drwch o addurniadau coch a glas a gwyn.

Mae Ifan yn gwybod na ddylai fod wedi byw gyda'i fam cyhyd. Roedd e jyst yn haws ac yn gwneud synnwyr yn ariannol. Priododd ei chwaer Myfanwy yng nghanol ei hugeiniau, yn weddol glou ar ôl marwolaeth eu tad, a symud i fyw i'r gogledd. Fel ei dad, roedd gan ei fam hoff ymadrodd hefyd, sef 'Mae 'na frân i bob brân'. Hynny yw, y byddai pawb, maes o law, yn canfod ei bartner neu ei phartner rhamantaidd. Roedd yr ymadrodd, a ddefnyddiwyd ganddi trwy gydol ei ugeiniau a'i dridegau, yn troi arno. Po fwyaf y byddai hi'n ei ddefnyddio, y mwyaf y byddai Ifan yn teimlo'r awydd i'w wrthbrofi. Nid oedd ganddo unrhyw broblem gyda menywod. Roedd sawl un wedi sylwi ar ei wedd dywyll, olygus, a'i lygaid glas. Gwyddai'n iawn fod ei swildod cynhenid yn apelgar a'i gorff tenau'n ddeniadol, ond prin iawn oedd yr adegau y manteisiodd ar hyn. Roedd calon ei fam yn y lle iawn ond roedd hi wedi busnesa llawer gormod yn ei fywyd. Ar un achlysur, disgrifiodd Annes gynddeiriog hi fel bwystfil.

Fis wedi i Annes roi ei modrwy ddyweddïo'n ôl iddo fe, claddodd Ifan hi mewn bag plastig yn yr ardd. Ffeindiodd ei fam e un diwrnod mewn pwll o waed, hen raw law ei blentyndod ar y slab concrit wrth ymyl ei gorff, oedd ar led ar y llawr. Mae Ifan yn dal i gofio sŵn monitor yn blîpian ac arogl hen fwyd a diheintydd wrth iddo ddihuno yn yr ysbyty.

Defnyddiwyd geiriau melodramatig fel *breakdown* a *trauma* ar y pryd ond bu ei adferiad yn weddol glou. Roedd yn rhaid i Ifan reoli ei fywyd eto. Gosod trefn. Dim ond wythnos gollodd e o'i waith. Yn dilyn cyfarwyddiadau llym ei fam cadwodd Annes draw, er iddi anfon carden Gwellhad Buan a nodyn teimladwy iawn iddo.

Mae Ifan yn aros tan hanner awr wedi naw cyn nôl ei feic

o'r sied. Mae'n arllwys yr hyn sy'n weddill o'i baent i mewn i jar a'i chau'n dynn. Lapia'i frws tenau mewn seloffen a'i roi mewn cwdyn siopa plastig. Mae'n rhoi'r paent a'r brws mewn sach gefn cyn anelu at gapel diarffordd Moreia ar hyd llwybr yr afon.

Mae Ifan wedi ffocysu ac yn teithio yn union yng nghanol y llwybr. Nid oes neb arall i'w weld o gwmpas y lle. Mae ystlum yn rhyw fân-gyffwrdd â'i helmed. Nes ymlaen mae cangen yn gwyro o goeden a'i daro'n ysgafn yn yr un lle. Nid oes unrhyw olwg o'r crëyr glas. Mae tylluan yn hwtian yn y pellter. Yn bellach fyth i ffwrdd clywir sŵn ysgafn traffig ar y brif heol.

Rho'i feic i bwyso yn erbyn wal y capel wrth y fynedfa. Mae hi bron yn dywyll nawr ond nid yw'n nerfus o gwbl. Edrycha ar yr hysbysfwrdd cyfarwydd, ei gefndir du, y lythrennau aur ffansi sy'n nodi amseroedd y gwasanaethau, enw'r gweinidog a'r tri gair syml 'Duw Cariad Yw'. Ar y gwaelod mae hysbysiad ynglŷn â Covid-19 yn datgan fod pob dim ar gau am y tro.

Mae Ifan wedi bod yn paratoi am hyn drwy'r dydd. Mae e'n syllu a syllu ar y gair 'Cariad', yn ceisio'i orau i wthio'i hun i ddileu'r gair a rhoi 'Casineb' yn ei le.

Mae e'n ffaelu neud e. Nid yw'n siŵr ai bai Duw yw hyn i gyd. Er gwaethaf popeth hon oedd cymuned ei fam. Claddwyd ei rieni tuag ugain llath i ffwrdd. Trwy'r gwyll mae e'n gallu gweld y lilis gwynion a osododd yno y dydd Sul cynt. Penderfyna yn y fan a'r lle y bydd e'n nôl y fodrwy dyweddïo o'r ardd ben bore fory. Bydd e'n ei gwerthu hi ar eBay a rhoi'r arian i Yes Cymru.

Mae e'n edrych o'i gwmpas unwaith eto, gan sicrhau nad oes neb yn ei wylio. Mae e'n mynd i mewn i'r fynwent a syllu ar gefn du pren yr hysbysfwrdd, cynfas lan sy'n ei wahodd. Mae e'n clipio golau ei feic ar yr hysbysfwrdd er mwyn gweld pethau'n gliriach. Mae angen iddo ganolbwyntio. Mae'n pwyso a mesur a ddylai ysgrifennu'r gair union yng nghanol cefn y bwrdd. Yn ymwybodol o'i anadlu trwm ei hun, wedi meddwi ar ei ryddid newydd, mae'n penderfynu ysgrifennu'n wyllt ar led. Gyda llaw gadarn mae e'n ysgrifennu 'Annibyniaeth'.

# Peidiwch Nofio yn yr Harbwr

Mae Gwen yn licio rhoi'r argraff bod heno jyst yn rhwbeth impromptu rhyw fath o gathering clou trwy nabod y neges ar-lein ond mae ei chrys-T gwyn hi a'r geiriau coch Mae Tri Mis Yn Ddigon O Aros Gartref yn adrodd stori arall ac oedd rhaid bod 'na rywfaint o gynllunio gofalus ymlaen llaw achos mae cael Howie Bear Essentials yma ddim jyst yn digwydd trwy glicio eich bysedd chwaith ond what the fuck sdim ots 'da fi os yw hi moyn dweud bod e jyst wedi digwydd out of thin air ar y funud olaf who cares ac os taw fel hyn mae hi moyn dathlu beth sy ar ôl o'i phen blwydd yn ddeunaw oed ma' hynny lan iddi hi ac mae hi wedi bod yn ffrind da i fi ers i ni fod yn ysgol feithrin 'da'n gilydd ac o'n i'n ffaelu peidio dod draw er o'n i wedi cael fy nhemtio am eiliad i dynnu'n ôl achos o'n i'n gallu gweld byddai sefyllfa fel hyn yn gyfle grêt i Dilwyn dynnu sylw at ei hunan yn ei ffordd show off ac wy wedi treial yr happy gas o'r blaen ac o'n i ddim yn licio'r ffordd wnes i golli teimlad yn fy mochau a'n gyms i 'da fe sydd ddim yn digwydd i bawb mae'n debyg a ta beth nage Dilwyn yw seren y sioe ddim eto p'un bynnag er mae'r olwg fanig 'na 'sdag e bron fel blaidd yn anadlu mewn a mas yn glou ma' honno 'ma yn barod ond na seren y sioe ar y funud yw Anna sy'n byw ar bwys Howie ac yn helpu mas yn y Banc Bwyd ma' nhw'n gweud ond mewn gwirionedd dawnswraig neu ddawnswraig sy mas o waith yw hi ac wy'n nabod ei hwyneb hi nawr fel un o'r grŵp o ddawnswyr wnaeth roi sioe mlaen jyst cyn Dolig ar ochr arall yr harbwr ac oedd hi'n dda hefyd ac mae'n dawnsio fan hyn ar y cei nawr wrth ochr

golau gwyrdd yr harbwr gyda'r golau coch heb fod ymhell
chwaith a'r ddau'n gwneud y tro i ni fel rhyw oleuadau dawnsio
weird gydag ambell lamp fach 'da Howie hefyd ar y stribyn cul
hwn o'r cei mae Anna'n dawnsio mor osgeiddig arno fel alarch
ac yn treiddio i'n heneidiau â cheinder cleddyf i rwbeth mae
Howie wedi'i roi at ei gilydd yn Gymraeg gyda'r geiriau 'Mae
Eich Galwad Yn Bwysig i Ni' ar lŵp sy'n ailadrodd ei hun gyda
rhyw stwff seicadelic itha tebyg i HMS Morris neu falle nhw y'n
nhw darnau ohonyn nhw yn torri mewn a mas mewn ffordd cŵl
ac wy'n edmygu'r ffordd mae hi'n symud bron yn arnofio ar hyd
y cei wedi ymgolli'n llwyr yn y gerddoriaeth ond hollol dan
reolaeth hefyd sy'n dric itha anodd i neud ac ma' hi bownd o
fod yn od iddi hi i ddod fan hyn gyda ni i gyd dal yn yr ysgol neu
wedi jyst gadael rhan fwya ohonon ni wrth gwrs hwrê achos
mae'n rhaid bod hi tua phedair neu bum mlynedd yn hŷn na ni
mae'n anodd gweud rili ac mae hi mor fain ond mewn ffordd
gyhyrog nid esgyrnog sy'n hardd iawn yn ei ffordd ei hun ac
wy'n gweld Dilwyn yn ei llygadu fel 'se hi'n gaseg ym mart
Llanybydder ac wy'n gwybod o'r gorau beth wede fe 'sen i'n
gweud rhywbeth bod e'n byw yn yr eiliad sef ei neges fowr e ac
wy'n ei edmygu e hefyd mewn ffordd od am wastad treial
gwneud hynny yn wahanol i'r rhelyw ohonon ni a'r holl
wallgofrwydd a'r cymryd risg a'r agwedd dim becso dam sydd
gydag e a wnaeth fy nenu ato fe yn y lle cynta a rhaid cyfadde
oedd hynny'n sbort am gyfnod gyda fe'n gyrru fi o gwmpas yn
ei jalopi yn un o gaeau ei fferm ac yn crasio'n fwriadol mewn i
goeden er mwyn gweld shwt deimlad oedd e neu'n fwriadol
fynd ben i waered mewn canŵ yn ei lyn a tharo ei ben ar graig
nes tynnu gwaed jyst er mwyn codi ofn ar rai o'r ymwelwyr ar
ochr y llyn oedd yn aros ym mythynnod y teulu ar dir
Gwyngoed Fach wy ddim yn gallu dychmygu unrhyw un o
'mrodyr yn gwneud hynna pob un ohonyn nhw mewn swyddi
bach parchus yn barod er bo' nhw i gyd dal yn eu hugeiniau Neil
yn optegydd a Lloyd yn gyfreithiwr a Steffan yn werthwr tai for
fuck's sake Mam a Dad wedi rhoi desg a char iddo fe ym musnes

y teulu pob un ohonyn nhw yn hen cyn eu hamser ac ma' raid i
fi adael y twll dre hyn mor glou ag y galla i er bod popeth lan yn
yr aer ar y funud gyda'r bastard Lockdown hyn ac ie mae'n grêt
bod Gwen a fi heb orfod sefyll ein harholiadau Lefel A ond beth
os na fydd graddau ein hathrawon yn cael eu derbyn neu os
gawn nhw eu gosod yn is beth wedyn achos ma' raid i fi fynd i
Glasgow mor bell â phosib o'r twll tin byd hyn ac wy'n
sylweddoli wrth i Gwen basio balŵn i fi bod disgwyl i fi joino
mewn yn yr hwyl fel y gweddill ohonyn nhw felly wy'n gweud
bo' fi ar antibiotics ac mae hi'n rhoi rhyw edrychiad hynod i fi
fel 'se hi'n gweud sa i'n credu ti Cadi a hyd yn oed os wyt ti so
wat felly sdim lot o ddewis 'da fi heblaw gwneud beth ma' hi'n
gweud wrtha i am wneud gyda Howie'n edrych draw arna i yn
ofalgar i wneud yn siŵr bo' fi'n neud popeth yn iawn a falle taw
hwn yw jyst y peth sy angen arna i rwbeth i'm tawelu a chymryd
y min oddi ar fy mhryder a stopi fi i fecso 'mod i'n disgwyl ond
y gwir yw bo' fi dros wythnos yn hwyr sydd ddim fel fi ond
wedyn ni yn y Lockdown hyn nagy'n ni a falle bod rheolau
normal ddim yn bodoli rhagor gyda'r holl stress 'na beth wy'n
gobeithio ta beth ac wrth i fi anadlu'r nwy i mewn wy'n edrych
draw at Dilwyn sy reit wrth ymyl y cei ac wy'n meddwl galle fe
fod yn fodel yn hawdd ma' fe mor olygus â'i high cheekbones
a'i wallt cyrliog golau a'i lygaid mowr glas ac ma' fe'n sylwi arna
i'n edrych arno fe ac yn codi ei law arnaf yn gyfeillgar yn wafio
sy'n neud i fi feddwl ai fi fydd yn wafio ffarwel iddo fe fis Medi
er ni wedi torri lan rhyw bedair o weithie'n barod heb i neb arall
wybod ac ma' fe'n meddwl bod e'n uffernol o ddoniol bod
rhywun fel fi townie fel ma' fe'n galw fi moyn astudio i fod yn
fet er bod e wedi gweld fi'n ymdopi'n iawn gyda'r gwaetha o'i
geffyle mor dda yn wir nes i'w dad dynnu fy nghoes a fy ngalw
i'n horse whisperer a ges i fy nillad a 'nwylo'n waedlyd o frwnt
hefyd wrth helpu ei dad gyda'r wyna er wnaeth Dilwyn ei hunan
fowr ddim ma' fe wedi ei sbwylio'n dost sdim dowt am 'nny ond
ma' rhwbeth deniadol hefyd 'mbytu'r ffordd ma' fe jyst yn neud
beth bynnag ma' fe moyn fel wnaeth e yn yr ysgol er fod e'n

ddwy flynedd uwch fy mhen i ddim yn treial o gwbwl er dyw e
ddim yn dwp chwaith ddim o bell ffordd ond ma' fe jyst yn
gwybod bod 'dag e fferm y teulu a'r bythynnod a bydd llwyth o
arian 'dag e am weddill ei fywyd cyn belled bod e ddim yn ffycio
pethe lan sy'n bosibilrwydd wrth gwrs o gofio taw Dilwyn yw
Dilwyn ac o'n i'n meddwl bod e'n neis ohono fe pan welodd e
bo' fi o ddifri am fod yn fet yn gweud dylen i astudio rhywle
agosach i adre fel Aberystwyth neu Fangor achos oedd e wedi
clywed Mam a fi'n mynd mlaen a mlaen sawl gwaith am y sbort
gethon ni yn Glasgow ar ôl i ni fynd lan i weld y lle fets 'na yn y
Brifysgol a chael noson grêt mas 'na gyda'r Glaswegians yn dod
draw aton ni ac yfed a dangos eu penolau ac o'n i heb weld Mam
yn chwerthin cymaint ers blynyddoedd hyd yn oed mwy dwl
bared a dienaid na Dilwyn lot ohonyn nhw ac wy'n dechrau
meddwl ai dyna pam dyw Dilwyn heb drafferthu defnyddio
condom cwpwl o weithiau'n ddiweddar pan gwrddon ni pan na
ddylen ni yn ei das wair pan o'n ni fod i gadw pellter dou fetr y
pellter cymdeithasol neu bellter anghymdeithasol a'r dwst mân
o'r gwair yn neud i'm llyged i redeg a wnes i disian hefyd jyst
wrtho fe ddod mwy neu lai oedd bach o embaras a gweud y lleia
a finne'n cael fy nghario gyda'i agwedd ddim becso dam am
ddim byd fel 'se rheolau biolegol ddim yn cyfri i ni ein bod ni
fel blydi Boris a'i giang uwchlaw pob dim yn meddwl yn dalog
ein bod ni'n anorchfygol ac yn wahanol i bawb arall wrth i ni
fyw yn yr eiliad a gafael ym merw'r dydd a falle taw byw yn yr
eiliad neu afael yn y dydd yw ei ffordd e o atal fi rhag cael fy
eiliad fowr a fe'n tynhau ei afael arna i drwy fy nghael i'n
feichiog ody e mor slei â hynny wy ddim yn siŵr ond pam yffarn
o'n i mor dwp i feddwl fod y pethe hyn fel disgwyl babi yn eich
arddegau ddim ond yn digwydd i ferched eraill ddim i fi beth
ddiawl oedd hynna 'mbytu ac ma' bownd fod rhan ohona i'n
meddwl ie hwn yw'r real thing a bo' fi'n disgwyl babi'r
gwallgofddyn o nytyr golygus 'na draw fan'na achos er bo' fi'n
gweud wrth bawb bo' fi'n yfed fodca ac oren o'r botel fach yn
fy mag mewn gwirionedd dim ond sudd oren sydd ynddi er man

a man iddi fod yn llawn fodca nawr gan bo' fi wedi anadlu'r nwy i mewn a co fe'n dod eto y teimlad 'na o golli teimlad yn fy mochau a'n gyms ac wy'n ymwybodol falle bo' fi'n neud niwed i beth bynnag sy tu fewn i fi neu ddim tu fewn i fi falle hefyd ond yn hytrach na bod yn grac â'n hunan wy'n teimlo rhyw don o orfoledd yn rhuthro trwy fy ymennydd fel 'se fe'n arafu mwya sydyn hefyd ac wy ddim cweit yn deall hynny ond yn mynd gyda fe ta beth a fuck it hyd yn oed os yw e'n wir ma' hi'n ddigon cynnar i ystyried opsiynau eraill o ddifri achos no way y'f i'n mynd i fod yn styc yn wraig fferm ym mherfeddion diwedd y byd yn tyfu cluniau seis peli rygbi a fy wyneb yn mynd yn fwyfwy coch bob blwyddyn ac yn raddol yn troi'n fwy o ddyn na 'nhri brawd i gyda'i gilydd ac mae rhywun yn shwshian pobol nawr chwaer Gwen Ffion wy'n credu ac mae Howie wedi troi'r gerddoriaeth reit lawr achos mae ffrind Ffion sef Perry wedi sylwi ar ryw fenyw yn cerdded ei chi ar bwys y tai bach cyhoeddus wrth ymyl Gwesty'r Glan-y-Môr ac erbyn meddwl wy'n credu bo' fi wedi gweld hi o gwmpas wedi gwisgo'n smart mewn dillad chwaethus o Boden gyda labrador du ac mae hi'n newydd i'r ardal jyst cyn Lockdown ac mae Howie'n edrych bach yn nerfus nawr yn treial dyfalu os yw rhywun yn mynd i ffonio'r heddlu achos er bod e'n swnio'n rhyfedd hyd yn oed gyda'r gerddoriaeth ac Anna'n dawnsio ni ddim wir wedi denu sylw achos does dim mwy na rhyw bymtheg ohonon ni i gyd a ni wedi'n gwasgaru'n weddol ar hyd y stribyn ac yn weddol dawel a chilled rili ar y darn yma o'r cei sy'n gwthio mas i gyfeiriad Iwerddon ond mae Howie'n dal i edrych draw dros yr harbwr yn amlwg dal braidd yn bryderus ond mae Anna'n ei berswadio i droi'r gerddoriaeth 'nôl lan ac o weld hyn mae Dilwyn yn gwenu ac yn rhoi ei fawd i fyny ac wrth i ni weld y fenyw a'r ci fel silwét yn erbyn lliw gwyn wal y tai bach yn dechre cerdded i ffwrdd mae pawb yn ymlacio eto ac yn cadw llygad ar Dilwyn wy'n gofyn i Gwen os yw Ffion a Perry yn eitem gyda'r ddau yn yr un dosbarth a nhw fel ni ddim yn gorfod sefyll eu harholiadau chwaith yn ddwy flynedd yn iau na ni jyst yn

gwneud eu TGAU neu ddim yn gwneud eu TGAU sy'n fwy
cywir ac mae Gwen yn dweud taw jyst ffrindiau y'n nhw ond
bod hi'n meddwl bod Perry itha ciwt a bach yn swil er ma' fe'n
ddigon ewn hefyd i ofyn i fi beth s'da fi i yfed ac wy'n dangos y
sudd oren ac yn dweud taw fodca ac oren yw e ac ma' fe'n tynnu
wyneb salw mwya sydyn fel 'sen i newydd ddangos lwmpyn o
gachu iddo fe neu rwbeth sy'n ymateb od braidd ond falle fel
wedodd Gwen bod e'n swil ac ma' 'dag e sefyllfa od gartre ta
beth yn byw gyda'i wncwl a nawr wy'n sylwi bod Dilwyn wedi
ymuno yn y ddawns gydag Anna ac mae pobol yn chwerthin ar
ei letchwithdod a'i draed eliffant trwsgl yn cymryd hydoedd i
droi rownd ac mae'r panic yn bwrw fi yn fy ngwddwg fel ton o
ddiffyg traul yn hylif poeth yn dod lan er wy prin yn gallu ei
deimlo yn fy mochau wy'n dal i nabod y panic hyn achos ma'
fe'n digwydd pan wy'n gweld yr olwg wyllt 'na yn llygaid glas
Dilwyn wy'n gwybod jyst yn gwybod i sicrwydd bod e ar fin
gwneud rhwbeth gwallgo ac mae rhai o'r lleill yn ei annog e
nawr achos ma' fe wedi gofyn i Anna os yw hi moyn gwneud
dawns y Jwmp gyda fe ac mae Anna'n arafu rhythm ei dawns
fel 'se hi heb cweit ei glywed yn iawn ac wedyn daw'r geiriau
mas mewn ffordd mwy amrwd nag oedd e'n disgwyl wrth iddo
ofyn a yw hi moyn jwmp ac mae pobol yn dechre chwerthin yn
uwch nawr gan gynnwys Gwen sy wedi dod â chacen mas o'i
bag plastig fel rhyw dric hud a lledrith ac mae Ffion yn cynnu
cwpwl o ganhwyllau arni ond yn ei ffordd nodweddiadol mae
Dilwyn yn tynnu'r sylw oddi ar y gacen ben blwydd wrth iddo
hofran wrth ymyl y cei gyda Howie'n ystumio iddo gadw draw
o'r dŵr ond wy'n gwybod beth ma' fe'n mynd i neud gyda fy
mhanic greddfol yn cael ei droi mewn i ryw fath o ddisgwyl
anochel gan y nitrous oxide sy'n chwyrlio i'w derfyn yn fy
ymennydd yn fy nhawelu cyn y storm o Dilwyn yn gwenu arnaf
yn glou cyn iddo fe reit drws nesa at yr arwydd sy'n gweud
Peidiwch Nofio yn yr Harbwr weiddi Aaaaaaa a lansio ei hunan
lan i'r awyr oddi ar y cei a rhyw eiliad neu ddwy'n ddiweddarach
ni'n clywed sblash ac mae fy nghalon yn fy ngheg dros dro gan

nad ydw i'n gweld e'n dod 'nôl lan trwy'r gwyll ac ody e wedi
bwrw ei ben yn erbyn craig neu ddala'i hunan yn sownd ar
rwbeth beth yffarn sy'n bod ar y maniac llabwst hurt yn neud
pethe mor ffycin crinj ac mae Howie'n edrych yn llawn consýrn
nawr er bod Anna'n chwerthin nerth ei phen mewn ffordd
hysterig braidd y ddou ohonyn nhw wedi cael llond twll o ofn
wy'n credu fel yr oedolion honedig aeddfed yn ein plith ac mae
Perry mwya sydyn yn tynnu ei grys-T bant gan ddatgelu six-
pack wicked to be honest ac yn gofyn i fi os allith Dilwyn nofio
ac yna mae'r ddou ohonon ni'n gweld e'n dod lan trwy'r dŵr
eto ac yn wafio trwy'r golau gwan ei wyneb yn goch un munud
ac yn wyrdd y nesaf wrth iddo nofio trwy'r dŵr bron fel ateb i
gwestiwn Perry ac mae rhai o'r parti yn curo eu dwylo nawr yn
ei gymeradwyo gydag un neu ddau hyd yn oed yn chwibanu ac
mae hyn yn ddigon i banicio Howie sy'n stopi'r gerddoriaeth
yn gyfan gwbwl ac yn diffodd ei oleuadau a dechrau pacio ei
offer i fyny ac mae Gwen yn chwilio am gyllell mae hi'n siŵr
bod hi wedi rhoi cyllell yn ei bag ond yn methu ffeindio hi ac
erbyn hyn mae Dilwyn yn dod lan yr ysgol haearn sydd ar ochr
y cei gyda gwymon yn ei wallt ac ychydig o gregyn yn ei law dde
ac wrth iddo ymddangos yn iawn ac ailymuno â ni mae e'n
dala'r cregyn lan ac yn dweud 'Trysor o'r Dwfwn i'n gariad i
Cadi!' ac wy'n chwerthin er fy ngwaethaf er bo' fi'n tampan hi
tu fiwn achos wy'n gwybod yn iawn fod Dilwyn yn gwybod bod
pobol wedi torri eu cefnau wrth ddeifio oddi ar wal yr harbwr
yn y gorffennol ac mae Anna yn cymryd cragen razor fish oddi
arno ac yn ei hagor i ffurfio dwy gyllell dros-dro ac yn defnyddio
un ohonyn nhw i dorri'r gacen yn ddeheuig iawn o ystyried
breuder ei 'chyllell' ac mae Gwen a Ffion yn anfon dou neu dri
balŵn lan i'r awyr fel rhan o'r dathlu ac wrth i ni stwffio'r gacen
yn ein cegau yn y tywyllwch gwyrdd a choch wy'n sylwi bod
dannedd Dilwyn yn taro'i gilydd yn yr oerfel nawr a bod Howie
wedi ymlacio a ni'n canu Pen blwydd Hapus yn dawel
deimladwy i Gwen sy'n synhwyro bo' fi wedi ypsetio ac mae'n
fy nghofleidio'n wresog er gwaetha rheolau'r Lockdown ar

ddiwedd y gân ac er bod gweddill y noson braidd yn niwlog er wedi mynd mewn slow motion hefyd wy'n ffaelu cofio lot o'r manylion jyst bo' fi wedi gwrthod gadael i Dilwyn gerdded y tair milltir adre i Gwyngoed Fach yn enwedig ar ôl iddo gael hyd yn oed mwy o'r nitrous oxide rhag ofn iddo gael ei daro gan gar neu bennu lan yn cysgu yn rhyw fôn clawdd wedi pasio mas felly wy'n cynnig gyrru fe adre fy hunan ac yn y car wnaethon ni gwympo mas fel cath a chi gyda fe'n amheus iawn am sut o'n i mor sobor ac yn rhoi dou a dou 'da'i gilydd yn fy nghyhuddo i mewn ffordd chwareus i ddechre o gael fy hunan yn feichiog er mwyn trapio fe a chael fy ngafael barus ar y fferm ac wrth i fi daflu cipolwg ar ei wyneb gwymon sychlyd yn sedd y teithiwr feddylies i gymaint o labwst oedd y dyn ifanc hwn wrth fy ymyl cymaint o enghraifft oedd e o wrhydri methedig a'i ddawn fyfïol droëdig o arddangos ei hunan ar draul popeth arall fel rhyw baun du a gwyn yn hytrach na'r sbesimen lliw llawn a wnes i'n glir iddo fe nad oedd ei sioe fowr diweddara wedi creu argraff ffafriol arna i na dim o gwbwl gyda'i dowlu ei hunan mewn i'r dŵr jyst mor amlwg yn rhyw sioe ar gyfer Anna ac wedyn dyma'r ynfytyn yn gweud os o'n i'n mynd i fod yn bartner cenfigennus yna ddylen i ddod â phethe i ben nawr a dyma fi'n ymateb i hyn trwy wasgu ar frêc y car ar waelod y troad i lôn gefn y fferm mor sydyn nes bod y mwlsyn yn cael ei hyrddio mlaen a bron taro'i ben ar forden flaen y car a finne'n gweud wrtho fe am ei siapio hi o 'na a siapio hi mas o 'mywyd i hefyd tra bod e wrthi a wnes i'n siŵr bo' fi'n weddol dawel a dan reolaeth pan es i 'nôl adre gan hyd yn oed siarad yn gall gyda Mam a Dad oedd dal lan yn gwylio rhyw gyfres neu'i gilydd ar Netflix a wnes i ddim sôn gair am Dilwyn a fi achos maen nhw wedi bod yn treial ers misoedd i'n gwahanu ni ond falle bydd y ddou ohonon ni'n teimlo'n wahanol yn y bore achos ni wedi neud y math hwn o beth droeon o'r blaen rhyw berthynas ymfflamychol stormus reit o'r cychwyn cynta pan wthiodd e fi oddi ar y rowndabowt yng ngolau'r lleuad wedi hanner nos yn y parc ar ein dêt cynta 'da'n gilydd ond pan wy'n cyrraedd y gwely wy'n troi a throsi ac yn anesmwytho ac nid dim ond gwres yr haf sy'n fy nghadw ar ddihun ond wy'n meddwl am y dyfodol a gobeithio gwna i ddianc i Glasgow ac yna mae rhyw deimlad corfforol cyfarwydd yn fy nharo ac wy'n gwybod yn reddfol bod fy misglwyf wedi dechre ac wy'n codi i fynd i'r bathrwm ac yn dod 'nôl nid yn unig â rhyw sioncrwydd newydd yn fy ngherddediad ond yn cario balŵn ac ychydig o nitrous oxide wnaeth Gwen ei rhoi yn fy mag fel diolch am bob dim diolch am y deunaw mlynedd diwetha ac wy'n eu rhoi nhw mewn drâr gerllaw i'w defnyddio rywbryd eto achos o fewn eiliadau wy'n dawel fy meddwl mewn llonyddwch pur wrth i ryw orfoledd penysgafn ddwgyd fy ymennydd dros dro ac wy'n teimlo fy hunan yn arnofio yn dawnsio'n osgeiddig ar erchwyn fy ngwely jyst yn byw yn yr eiliad heb symud dim.

# Bwydwch Fi, Nid y Gwylanod

- Diolch am ddod.
- 'Sen i'm yn misio hyn 'achan. Erioed 'di digwydd yn ein bywyde ni. *Campiones! Campiones!*
- Gad dy weiddi.
- Canu o'dd 'na.
- Medde ti.
- Ofan germs wyt ti?
- Ofan cynhyrfu Sylvester Stallone ar y to 'na. 'Sdim ise lot o esgus arni.
- Yr wylan yn ffansio'i hunan fel Rambo.
- Rhai bach 'da hi tu ôl i'r simnai. Ond nawr bo' ti'n gweud, ie, germs hefyd. Cadw draw 'mbach.
- Hyd buwch ma' nhw'n gweud.
- Neith hyd dafad y tro. Wy ise clywed ti 'fyd.
- Ti'n siŵr? Ti'n gweud taw lap wast s'da fi fel arfer.
- 'Sdim ise i ti iste ar y wal. Neith pen arall y fainc y tro.
- Geith Mathew iste ar y wal.
- Dyw e'm yn dod.
- Ti'n jocan.
- Tecstodd e ginne.
- Dan y fawd. Heddi o bob dydd.
- Nagyw.
- Fydde fe ddim moyn misio dathlu ennill y Premier League, w.
- Na. Be ti'n neud?
- Ffono fe.
- Na! Paid, wir.

- Ok. Ei golled e fydd hi.
- Dou musketeer, yn lle tri.
- Od hefyd. Wedodd Anj ddim byd.
- Brawd a whaer ddim yn gweud popeth wrth ei gilydd, y'n nhw.
- Sa i'n gwbod. Mae'r ddou 'na'n dynn. Rhy dynn withe.
- Dyle ti'm siarad fel'na am dylwyth.
- Gweud y gwir y'f i.
- Weles i'r Gog 'na, Maldwyn. O'dd e arfer mynd i Anfield am flynydde.
- Wnest ti'm gweud 'tho fe i ddod draw gobeithio.
- Na. Oedd e'n gweithio ta beth. Lot o waith paratoi stwff newydd ar gyfer ei galeri pan fydd e'n agor, 'na beth wedodd e.
- Sa i'n gweld neb yn prynu Art ynghanol pandemic. Dim ond ambell i geit sydd â gormod o arian fel ti.
- Ie ie, gwed ti.
- Wy yn, dim whare. Ti moyn un o rai fi?
- Be 'sda ti?
- Cwrw Llŷn. Ges i focsed o nhw 'da Anj ar 'y mhen blwydd i.
- Pen blwydd Lockdown. Anlwcus.
- Dim ond jyst 'fyd. Dachre Ebrill.
- Ac mae'r cwrw dal 'da ti? Ti 'di neud yn dda.
- Wedi yfed y rhan fwya. Ond dal rhai'n ôl 'fyd ar gyfer special occasion.
- Ac ma' heddi yn special occasion.
- Ody glei.
- Cym on you reds!
- Brawd Houdini gynta wy'n credu.
- Dewis da. Cyn belled bo' ti jyst yn yfed e, dim canu fe.
- Tria i 'ngore. Ma' nhw'n gweud taw hymian emynau fydden nhw pan agorith y capeli. Gormod o droplets, germs, yn dod mas os yw pawb yn canu 'run pryd.
- 'Na'i diwedd hi ar y Côr hefyd, 'te.
- Ie, glei. Fel côr iawn pawb 'da'i gilydd, ta beth. Am sbel fowr, siŵr fod. Trueni.
- Ti ffaelu canu, Russ.

- Sdim ots am 'nny, o's e. Ga'th Anj air bach 'da Meinir. Sbort bod mewn côr. Enwedig un newydd. Cefnogi'r Steddfod yng Ngheredigion, ife.
- Steddfod 'di canslo, 'achan.
- Deith hi 'nôl wap. Pethe'n normal 'to.
- O'dd pethe byth yn normal rownd ffor' hyn.
- Nawr 'te! Gesi di byth pwy gân o'n nhw moyn i ni ganu yn unigol a rhoi fe i gyd at ei gilydd ar Zoom.
- 'Delilah'?
- 'You'll Never Walk Alone'. Yn Gymraeg.
- Paid bod yn dwp.
- Wy'n gweud y gwir, was.
- Nei di byth gerdded ar ben dy hunan, ife?
- Nage. Ma' fersiwn ponsi mewn Cymraeg iawn. Un o'r beirdd hyn 'di bod wrthi.
- Ffycyrs pretensious.
- Nawr 'te! 'Daw Eto Haul Ar Fryn'.
- Paid canu.
- Deith flwyddyn nesa cyn i ni droi rownd.
- Deith. Ond fyddi di dal yn ffaelu canu.
- Ma' 'da fi Cwrw Llŷn arall 'fyd. Seithenyn. 'Na beth ga' i nesa wy'n credu.
- Addas iawn i ti.
- Bae Ceredigion. Cantre'r Gwaelod.
- O'n i'n meddwl mwy taw fe oedd y meddwyn yn y stori, os gofia i'n iawn.
- Be ti'n treial gweud, was?
- Dim. Cŵl hed, Russ bach. Jôc, ife.
- Ti moyn un neu nagwyt ti?
- Stica i at be 'sda fi am nawr, diolch.
- O yffach, Neil. Be sy'n bod â ti? Gwin coch, ar ddiwrnod fel heddi.
- Dod â bach o class i'r achlysur. A watsio'r bola cwrw hyn. Ni i gyd yn bwrw'r tri deg nesa.
- Ti'n mynd yn fwy o snob bob dydd.

- Ers pryd ma' yfed gwin yn snob, gwêd?
- Ody hi'n un ddrud?
- Sa i'n gweud.
- Fentra i bod hi.
- O'dd rhaid cael rwbeth coch i ddathlu.
- Dyle ti 'di gwisgo crys Liverpool 'achan, fel fi.
- 'Crown Paints'? Ble gest ti afael ar honna? Anitiques Roadshow, ife?
- Dyw gwin coch ddim yn goch.
- Dylen i 'di dod â siampên. I ddathlu'n iawn.
- Pam na wnest ti, 'te?
- O'n i ddim moyn gwastraffu fe arnot ti. Watsia dy hunan. Ma' Rambo off.
- Wy'n cydymdeimlo 'da hi.
- 'Di bod yn tyff, ody e? Edrych ar ôl Llŷr trwy'r dydd.
- 'Na beth ti 'di clywed, ife?
- Dim ond gofyn.
- Na, dere mlaen. Dyw cwestiwn fel'na ddim jyst yn dod o unman.
- Mathew wedodd. Bod y straen yn dachre dangos.
- Do fe nawr. Weda i 'tho ti beth sy'n straen. Bod e a'i whaer, 'y ngwraig i, yn siarad amdana i tu ôl 'y nghefen i.
- Consyrn, 'na'i gyd. Mae'r Lockdown hyn yn gallu, wel...
- Troi fi mewn i wife beater, ife?
- Russ, w.
- Na, dere mlaen. 'Na beth chi i gyd yn siarad 'mbytu tu ôl 'y nghefen i. Er bo' fi rio'd 'di codi bys at Anj. A hithe'n gwbod yn iawn fydden i byth yn chwaith.
- Ma' codi llais gallu bod yr un mor wael withe.
- Dibynnu be sy'n cael 'i weud.
- Wedodd Mathew bod hi 'di gweud bod yr awyrgylch yn tense.
- Wrth gwrs bod e'n blydi tense. Fi'n styc rhwng peder wal drwy'r dydd gyda chrwt tair oed yn becso falle golla i'n job for

good. Tra bod 'y ngwraig i'n risgo'i bywyd ar y ffrynt lein am ffyc ôl o arian.

- Sori. Sa i moyn sbwylio'r dathlu. Diwrnod Liverpool yw hi heddi.

- Mae'n oreit. Ateba i dy gwestiwn di. Ody, ma' fe'n tyff. Os wela i raglen arall o'r blydi *Cyw* 'na af i off 'y mhen. Sa i'n gwbod shwt ma' bobol yn gallu neud e. Yffach, watsia dy hunan, ma' hi'n deifbomo.

- Ti ffaelu gweld o fan hyn. Peil o sbwriel ar y traeth, ochr arall y grisie. Yn temtio hi. Poteli a cans sy 'na fwya. Ambell i sanwej ar ei hanner.

- Oedd criw ifanc mas nithwr. Dim byd i neud â Liverpool.

- O'dd Cadi ni'n un ohonyn nhw yn ôl Dad. Ond dim ffor' hyn o'n nhw.

- Draw ar ben y cei, yn danso.

- Shwt wyt ti'n gwbod?

- Glywes i rwbeth draw 'na ac es i rownd y gornel i gael pip. Mab Aberarth Windows, Howie, oedd y DJ.

- Digon o ddewis o bethe i gymryd 'na 'te.

- Siŵr fod. Ni jyst yn jealous.

- Ie. Ha. Meddylia. Rhy hen, dou ddeg naw.

- Wedi trefnu fe ar social media. Kids ysgol.

- Y'n whaer fach i wrthi, y cyw melyn ola. Eighteenth ei ffrind hi, Gwen.

- Gerddes i draw ar y cei ginne. O'n nhw ddim yn ofalus iawn. Capsiwls bach gwag ar y llawr 'na.

- Nitrous oxide.

- 'Na'r craze diweddara. Danso wedi hanner nos. Iwso gole coch a gwyrdd yr harbwr i helpu goleuade Howie. Strabs.

- Nage jyst danso, sa i'n credu. Y clust 'na, Dilwyn Gwyngoed Fach. Bennodd e lan yn y dŵr.

- Naddo. O'dd e'n iawn?

- O'dd, gwaetha'r modd.

- Ma' thing 'da fe am Cadi, o's e.

- Fel pryfyn ar drwyn ceffyl. Nychu.

- Ond bydd y ceffyl yn mynd drot drot i'r coleg yn yr Hydref.
- Gobeithio 'nny, ontife.
- Geith Cadi'r grades 'achan, dim whare.
- Geith ynta. Clyfar, fel ei brawd hyna.
- O'dd e 'di gweld hi. Digon da i fynd yn optician.
- Ti'n llygad dy le.
- Allith dy dad breibo'r athrawon ta beth os bydd problem. Nhw sy'n penderfynu y grades leni, nagefe?
- 'Se well 'da fe bod hi wedi goffod stydio. Neud ei arholiade.
- Llai o amser i roi sylw i Dilwyn Dwl.
- Ti 'di deall hi.
- Ti'n gwbod os ti wir moyn rhwbeth yna ma' gweddïo'n helpu.
- Ody e wir.
- Wy'n gwbod dylen ni iwso gweddi at rwbeth pwysicach na ffwtbol, ond wnes i weddïo i gael y Premier League i ailddachre.
- Ti oedd tu ôl i 'na ife? Da iawn ti, Russ.
- A weddïes i nithwr 'fyd, i Chelsea ennill.
- Dim ond draw oedd angen!
- Ise rhoi coten i Pep. Dangos pwy yw'r bos.
- Yffach, gan bwyll Russ bach. 'Sneb yn dwgyd dy gwrw di.
- Word association. Pressure Cooker. Valve. Release.
- Ti moyn glass? Ma' un sbâr 'da fi fan hyn.
- Sa i'n yfed cwrw mas o glass gwin. Ma' safone 'da fi 'fyd, ti'n gwbod.
- Ma' glass peint 'da fi i ti os ti moyn.
- Na, neith y botel hyn y tro i fi. Strêt lawr o'r deth.
- Lwc owt. Rambo 'di cael gafael ar grwstyn.
- 'Nôl draw i'r simnai.
- Cinio deche i'r rhai bach.
- Dest ti â rhwbeth 'da ti? I fyta?
- Ges i bacon roll yn y Glan-y-Môr ar y ffordd.
- O'n i 'di clywed bo' nhw 'di ailagor ar gyfer tec-awês. Bore 'ma y tro cynta, ife?
- Ie. Tyrnowt itha da.

- Pawb yn cadw'u pellter gobitho.
- O'dd, o'dd. Lyfli. Cig moch 'di halltu mewn rôl brioche.
- Pwy sy'n snob nawr 'te?
- Rhaid cefnogi, nago's e. Ga'th Llŷr sgwash a brownie. A ga'th Anj goffi.
- Diwrnod off 'da hi?
- Ie. Ware teg. Cymryd Llŷr, i fi gael joio.
- Allet ti 'di dod ag e 'da ti 'achan. Bwced a rhaw.
- Anj na'th gynnig. Meddwl 'se fe'n neud lles i fi. Dathlu 'da ti. A Mathew. I fod.
- Gwaith yn galed i Anj siŵr fod. Y risg, mynd i dai bobol.
- Care assistant was. Halen y ddaear.
- Ar y ffrynt lein.
- Ma' hi 'di cael cwpwl o dests. Dyw hi heb ddala dim byd 'to diolch byth. All clear.
- Ni 'di neud itha da ffor' hyn, 'styried.
- Dyw'r crowds mowr heb ddod 'to.
- Na.
- Ges i goffi 'fyd. Yn y Glan-y-Môr. Irish.
- Sblash o wisgi ar ei ben e. Neis.
- O'dd e'n fwy na sblash. Ware teg i Gareth Glan-y-Môr. Ma' fe'n host da.
- Anodd i fusnese yn y dre, cofia. Enwedig hospitality.
- Goffod aros cyn bo' pobol yn gallu mynd tu fiwn.
- Os bydd pobol yn folon mynd 'nôl miwn o gwbwl, ife.
- Tafarne bach fel Yr Angor yn ffycd. Dim tu fas 'na, o's e.
- Beth o'dd Gareth yn gweud?
- Bod ise guidance mwy clir.
- Ie, ma' fe'n drysu pobol. Y gwanieth rhwng y peder gwlad.
- Well 'da ti'r 4-Nation approach, ynta.
- Jyst gweud bydde 'na'n gliriach wnes i.
- Ti'n fwy o Brit na fi, t'wel.
- Co ni off. Ti'n mynd i ddachre ar VE Day nawr 'to, wyt ti?
- Na.
- O'n i'n meddwl bo' ni wedi setlo hynny. Agree to disagree.

- Wy'n deall yn iawn bo' ti moyn marco'r dwrnod 'nny â dy dad-cu 'di bod yn yr RAF yn y rhyfel. Sa i'n dwp, 'achan, er bod ti'n meddwl bo' fi.

- Sa i erio'd 'di gweud 'nny, gad dy whare.

- Rhaid parchu pethe fel na'th dy dad-cu. Risgo'i fywyd er mwyn eraill.

- Er mwyn ni, yn y pen draw.

- Wy jyst ddim yn licio'r ffordd mae'r holl beth yn cael ei heijacio gan y British State, ife. Ei iwso i gadw ni yn ein lle.

- Ie, wel, fel wedes i, agree to disagree.

- Rambo off 'to.

- Watsia dy ben. Bert cofia. Yr aerodynamics. Gwmws fel awyren.

- Sa i'n licio nhw. Bwlian adar llai. A'r sŵn 'na sy 'da nhw, fel 'sen nhw'n wherthin ar dy ben di.

- Fel machine-gun.

- Ewn nhw am dy tsips di 'fyd, dim whare.

- Mae'r sbwriel 'na'n whare bêr â'i phen hi. Falle dylen i gasglu fe. Ma' glass yn ddanjeris.

- Ma' adar yn tyff.

- Ond falle deith ci neu blentyn. Af i draw ag e i'r bin nes mlaen. Iwsa i'r bag hyn ar ôl i fi fennu ag e.

- Iawn. Ti sy'n deall glass. Neu glasses o leia.

- A ti yw'r boi pren.

- John Jones yr hogyn pren, Martha Dew, y ladi wen.

- Paid canu, plis. Fydda i'n clywed ti yn 'y nghwsg.

- Sa i mor wael â 'na.

- Wyt. Wna i glirio'r sbwriel lan nes mlaen. Dylen i fynd 'nôl i ôl menig rhag ofan. Cyn rhoi e yn y bin.

- Da iawn Cyngor Ceredigion. 'Bwydwch Fi, Nid y Gwylanod.'

- Swnio fel adnod. Gathering. 'Na beth wedodd Dad alwodd Cadi y danso ar y cei. Bod hi'n mynd i gathering.

- O'n i'n meddwl jyst Iesu Grist oedd yn cael gathering.

- Odyn nhw dal i weud adnod yn y capel, bore Sul? Y plant? Fel o'n i goffod neud?

- Na Ladd. Na Ladrata. Na choller i Everton na Manchester United.
- Neis, y linc Cymreig sy wastad 'di bod 'da Liverpool, cofia.
- John Toshack.
- Joey Jones.
- Dean Saunders.
- Joe Allen am bach.
- Y rhai ifenc 'na nawr. Neco Williams. Ga'th e gêm wthnos dwetha.
- Ac ma' Woodburn a Wilson yn dal i gyfri, nagy'n nhw?
- Emlyn Hughes ddim. Er ei enw. Capten Lloegr.
- Ond Cymro oedd ei dad e. Fred, wy'n credu. Chwaraewr Rugby league. Wharodd e i Gymru.
- Cer o'na.
- You say cer o'na, I say corona. Botel o bop o'dd Corona blynydde 'nôl, yn ôl Dad. Mynd â'r rhai gwag 'nôl i Siop Trefor ar y ffordd i'r ysgol fach. Cael hen geiniog am bob un wy'n credu. O'dd e itha hiraethus. Peth od y pethe ma' pobol yn cofio. Am eu plentyndod.
- Ffycin gad hi, 'nei di!
- Sori. Wy jyst moyn i ti wybod bo' fi 'ma i ti, 'na'i gyd. Os ti moyn, ti'n gwbod, clust i wrando.
- Ti'n cyfadde bo' ti'n glust 'te.
- Digon bolon neud. Os 'na beth ma' fe'n cymryd i ti ddod mas o dy gragen.
- Ie. Ok.
- Ok.
- Ma' cartŵn ni'n watsio ar S4C am y gwningen fowr ddu hyn, Bing. Ma' Llŷr yn joio fe. Sdim rhieni 'da Bing.
- Wel, na. Cwningen mewn cartŵn yw hi.
- Ta beth, mae'n mynd i bob math o drybini bob tro ond wedyn mae'r thing 'ma, peth bach oren yw e, Fflop yw 'i enw e. Neu hi. Sa i'n siŵr beth yffach yw e. Dyw e byth yn gwylltio. Ma' fe'n rili cŵl. Laid back, ti'n gwybod. A chael Bing i weld fod

popeth yn iawn yn y diwedd. Bob tro. Heb fowr o ymdrech. Hollol chilled.

- Beth ma' fe'n cymryd?
- Beth bynnag yw e licen i gael peth o' fe. Ma' fe fel 'se fe'n dod yn hollol naturiol iddo fe. Gofalu ar ôl Bing. Fel yr wylan 'na'n gofalu am ei rhai bach hi.
- Greddf.
- Ie, siŵr fod. Sa i'n siŵr os yw e 'da fi.
- 'Sneb yn gweud bod e'n hawdd. Yn enwedig yn y Lockdown hyn. Bod 'da un bach, rhwng pedair wal, 24/7.
- Ond dylen i joio fe. Neud yn fowr o'r cyfle. Be ffyc sy'n bod arna i?
- Patrwm gwahanol. Towlu rhywun.
- O'dd e 'di dachre yn ysgol feithrin. Neu oedd Carol, mam Anj, yn cael e. Ti'n gwybod, amser o'n i yn y felin goed. O'dd trefn.
- Deith pethe 'nôl.
- Sa i'n gwybod. Mae sôn falle byddan nhw'n gadael rhai i fynd yn y felin. Re-loceto. Datblygu'r seit yng Nghaerfyrddin yn lle 'nny.
- O'n i'n meddwl taw jyst lap o'dd 'na.
- Gobitho 'nny.
- Ie.
- O'n i ddim yn gwbod bod tad Emlyn Hughes yn wharaewr Rugby League.
- Dysgu rhwbeth bob dydd, t'wel. Ma' hwn yn dod â'i ben yn y cymyle.
- Y Professor.
- Cydia'n un o'r prenne 'na, Ifan! Rhag ofan eith hi amdano ti!
- Gwrando dim. Rhyngddo fe a'i gawl.
- Sa i'n credu glywodd e fi. Bach o wynt 'ma nawr. Geirie'n diflannu.
- Ga'th e visit bach 'da'r heddlu dachre'r wthnos.
- Do fe?

\-   Rhywun 'di peintio 'Annibyniaeth' ar hysbysfwrdd Moreia.

\-   Ie, glywes i.

\-   A'r sledj 'na newydd roi poster Yes Cymru yn ei ffenest ffrynt.

\-   'Dyw 'na'm yn profi taw fe na'th.

\-   Na. Dyw e'm i weld y teip i fi.

\-   Ti fwy o'r teip. Ond 'se ti ffaelu sillafu fe.

\-   Gwerthfawrogi beth alle Annibyniaeth fod sy'n bwysig, nage shwt i sillafu fe.

\-   O'dd Dad yn meddwl bod e'n ddoniol bod e 'di digwydd i gapel yr Annibynwyr o bawb. Sa i cweit yn deall pam fydde rhywun yn peintio'r gair mewn mynwent chwaith.

\-   Rhaid i'r chwyldro ddachre rhywle.

\-   Ma' nhw'n geino tir, medde nhw. Y gang Yes Cymru.

\-   Odyn.

\-   Ti 'di joino, 'te?

\-   Na. Ond falle wna i 'fyd. Jyst i annoyo ti.

\-   Free Country, ys dwedon nhw.

\-   Un deg naw.

\-   Covid?

\-   Ha – un deg naw teitl, y bat.

\-   Wy'n gwbod 'nny. Tipyn o gamp, ware teg.

\-   Dal un yn llai na'r Mancs.

\-   Tymor nesa amdani. Wy'n gweld e'n digwydd. Ti moyn tasto'r gwin hyn neu nagwyt ti?

\-   Dim diolch.

\-   Un Almaeneg yw e. *Spätburgunder*. Tria fe. Ma' fe'n itha tene.

\-   Fel fi, 'te.

\-   Ie. Ti fwy tene nag arfer hyd yn o'd. Ti'n oreit Russ? Cysgu'n iawn?

\-   Fel twrch diolch. Pam ti'n gofyn? Dyw e'm yn broblem, bod yn fain, yw e?

\-   Na. Fi sy â'r broblem. 'Di pesgi fel mochyn yn y Lockdown hyn.

- O'n i'm yn licio gweud.
- 'Di rhoi dros stôn mlaen. Dim jyst yr holl fwyd cartre chwaith. Cefnogi busnese lleol. Mynyddoedd o focsys cardbord ar ben carreg y drws. Caws Cennin, Cwrwgl, Cacen, Bara Ben.
- Cael harten dros dy wlad.
- Falle deith e i hynny.
- Pryna feic.
- Ie, falle wna i. Dyw hi byth rhy hwyr i gael dy ladd gan lorri.
- Neu Ryan Mason mas o'i ben.
- Ffyc, ie. O'n i 'di anghofio 'mbytu fe.
- Ddim yn ddoniol.
- Nagyw. Ble o'n i, gwed?
- Y gwin yn dene.
- Ody. Ie. Pinot Noir.
- Pasa'r botel draw, i fi weld.
- Ma' geirie arni hefyd cofia, nage jyst llunie.
- Pasa hi draw.
- Well p'ido ynta. Rhag ofan.
- Paid bod yn ddwl. Dyw'r feirws heb ddod ffor' hyn o gwbwl 'to bron.
- Sa i'n credu bydde Teifi Morgan yn cytuno. Nag Eleri chwaith.
- Cael a chael o'dd hi 'dag e, glywes i.
- Bron â'n gadael ni. Ond ma' fe 'di dod off y ventilator ers dros bythefnos nawr.
- Ysgwyd rhywun. Rhwbeth fel'na.
- Weles i Andrea, wejen Elgan. Wedodd hi bod e 'di dachre ffisio a chwbwl erbyn hyn.
- Ma' gobeth i fynd 'nôl fel o'dd e, 'te.
- Bownd fod.
- Clefyd y diawl yw e, dim whare.
- Ma' nhw'n gweud bod dy lungs 'di'n edrych fel glass wedi malu yn y scans. Llawn fluid.
- O'dd Teifi'n smocwr trwm.
- Ers hanner can mlynedd bownd fod.

- A'r waci baci hefyd.
- O'dd e'n gweld y pethe rhyfedda pan ddaeth e rownd, medde nhw. Abraham Lincoln glywes i.
- Alle hi fod yn waeth.
- Ha – Trump ti'n meddwl! Wna i ddarllen y botel. I fod yn saff.
- 'Sen i'n gwbod bo' ti mor fussy 'sen i 'di gwisgo masg a menig.
- Fydde hynny'n welliant mowr.
- Y menig yn handi i'r sbwriel?
- Na – y masg, i gwato dy wep salw.
- Ma' dy lyged di'n rong, was. Llyged croes. Wy 'di gweud erioed, dylet ti weld optician.
- Edrych i fyw llyged y'n hunan. Ma' ise i ni i gyd neud 'nny withe.
- Optician iawn wy'n meddwl. Un sy'n deall beth ma' fe'n neud.
- 'Cherries and berries with hints of leather on the nose.'
- Leather? Ti'n siŵr taw gwin yw e? Swnio'n debycach i esgid.
- 'Juicy dark cherries with light herbal spice on the palate.'
- Palets – ti'n siarad y'n iaith i nawr. Ni'n gwerthu cannoedd o'r rheiny yn y felin.
- 'Lively acidity supported by well integrated wood and good finish.'
- Good finish! Mo Salah – back of the net!
- Ges i win o'r Almaen mas o barch i Klopp. 'Da Buddug, o Gwin â Gwên. Ma' hi 'di neud yn dda o'r feirws. Pawb adre, o flaen y bocs.
- Pob lwc iddi. Ise mwy o Gymry fel'na. Meddwl ar eu traed. Good supply 'da hi, siŵr fod.
- Wy'n credu bo' fi a Mared 'di prynu hanner ei garej hi.
- Good supply o bethe bach er'ill 'da'r DJ 'na n'ithwr hefyd, mae'n debyg.
- Howie. Pwy fath o enw yw blydi Howie?
- Ma' fe'n byw yn y dre nawr. Lle ei hunan. Wedi symud o

Aberarth. Ei enw DJ fe yw 'Bear Essentials'.

- Paid dachre fi off.
- Whare ber â dy ben di, ife?
- Dad oedd yn poeni, am Cadi.
- Ma' nhw ond yn neud yr un peth â ni, 'achan.
- Nagy'n. Sa i 'di clywed am hanner y stwff. Dim jyst y laughing gas. A'r MDMA, dyw e ddim yr un un o'n i'n cael, ma' fe'n ddanjeris.
- Enwedig os ti'n danso ar ben y Cei heb fowr o ole!
- Wy'n serious. Ma' fe'n rhy gryf. Weles i documentary amdano fe. Allith e neud damej, permanent, i'r ymennydd.
- Fel Owain Rees, pwr dab.
- Dwrn ga'th e.
- Ma' fe ar y mend o ryw fath hefyd. Yn ôl ei dad, ta beth. Ond fydd e byth 'run peth sa i'n credu.
- A bydd Liverpool ddim chwaith – ddim ar ôl nithwr! I Jurgen Klopp! Iechyd da, boi.
- I Jurgen Klopp! A ti'n meddwl taw dim ond y dachre yw hyn. Serious.
- Ydw. Ma' Klopp yn deall Liverpool, t'wel. Y ffordd ni'n licio whare. Deall y ffans. A mwy na dim shwt i gael team spirit.
- Dim egos.
- Ti 'di deall hi.
- Mae'n od, nagyw e. O'dd e fowr o chwaraewr ei hunan, Klopp.
- Skill gwahanol, rheoli. Lot o managers da ddim 'di whare i safon uchel iawn eu hunain.
- Ie, ti itha reit. Wenger, Mourinho. Arthur Picton.
- Ha. 'Run peth yn rygbi. Ga'th Gatland erioed cap i'r Cryse Duon.
- Ti'n siŵr?
- Wharodd e iddyn nhw, ond mewn geme non-international.
- Good coach, ware teg.
- Cael y gore mas o bobol, ife. Skill. Fel ti'n neud yn y felin goed.

- Ti'n cymryd y piss?
- Na. Sdim rhaid deall pren i gael y gore mas o bois eraill y felin. 'Na'i gyd o'n i'n gweud.
- O'n i'n gwbod digon am bren i roi coed i ti 'no. Neu ti 'di anghofio.
- Treial rhoi compliment i ti o'n i.
- O. Diolch. Ga' i Brawd Houdini bach arall bach wy'n credu, i ddathlu.
- Paid yfed mor glou tro hyn, 'te.
- Os ddiflanith e beia Houdini. Ife ambiwlans yw hwnna yn y pellter? Neu'r heddlu?
- Ambiwlans. Watsia di ble ma' nhw'n mynd nawr. 'Run peth bob dydd.
- Byta tsips yn y maes parcio.
- Ma' nhw'n neud 'nny gyda'r nos withe, odyn. Ond bob amser cinio, ti'n gweld, wy'n iawn. Stopi tu fas i'r tai bach cyhoeddus.
- Cael drygs?
- Nage. When a man's got to go a man's got to go, ife.
- Rhai cyhoeddus? Welet ti ddim o fi'n agos at rywle fel'na.
- Mae'r cownsil bownd o gadw nhw'n lan 'achan, enwedig nawr.
- No way Jose fydden i'n ysgwyd llaw â'r cwîn mewn fan'na. Heb sôn am sychu'r Pall Mall.
- Co. Jyst i gael e mas o'r ffordd. Ma' blynydde mowr ers i ti droi arna i. Dŵr dan bont, Russ bach.
- Wrth gwrs 'nny. Ti'n gwbod fel wy'n gallu bod, yn 'y nghwrw.
- Arfer bod, ife. Arfer bod.
- Ie, fel matsien. Arfer bod.
- Bydd Gatland yn mynd â'r Llewod mas i De Affrica blwyddyn i nawr.
- O, reit.
- Wrth gwrs. Dyw'r Llewod yn meddwl dim i ti.
- Ffeindio hi'n anodd i gefnogi unrhyw beth â British ynddo

fe, alla i byth â help. Dod mas mewn rash.

\- Er bydd sawl Cymro yn y tîm.

\- Wy'n gwbod. A wy'n licio rygbi cystal ag unryw un.

\- Ma' sawl Sais gyda Liverpool. Henderson yn gapten ar y bois nawr. A digon o arwyr i ti dros y blynydde 'fyd, fel Stevie G.

\- Alla i byth egluro fe. Ma' ffwtbol yn wahanol, 'na'i gyd. Enwedig gyda'r Premier League, ife. Ma' fe'n fwy global. Mo o'r Aifft. Mané o Senegal. Van Dijk o'r Iseldiroedd.

\- Sdim un o rheina'n wyn chwaith.

\- So?

\- Jyst gweud. Alle Gatland neud cymwynas mowr â'r Black Lives Matter hyn 'se fe'n enwi Maro Itoje yn gapten y Llewod.

\- Public Schoolboy arall.

\- Dere. 'Se fe'n neud gwanieth mowr cael capten croenddu i dim mor high profile. Yn ysgwyd llaw cyn y prawf cynta ar gyrion Soweto o flaen naw deg mil o gefnogwyr gyda Siya Kolisi, capten croenddu De Affrica.

\- Dangos y twpsod racist lan.

\- Ti 'di deall hi. Ma' chwaraeon gallu whare rhan mowr yn y pethe hyn. Fel welon ni, er bod gas 'da fi 'i weud e, 'da'r Manc, Rashford.

\- Ga'th e Boris Johnson i neud gwell U-turn na Robson-Kanu, 'achan.

\- Mae'n beth da bod y bois ffwtbol yn treial dylanwadu, nagyw e? A phenlinio, ife. Taking the knee. Dangos solidarity.

\- Glywes di'r mwlsyn Tori 'na, sa i'n cofio'i enw e nawr. 'I'll only bend my knee to Her Majesty the Queen or to propose to my wife.'

\- Ti'n gweld eu gwir liwie nhw 'da rhwbeth fel hyn, t'wel. A bydd e'n ddiddorol i weld be neith y bois rygbi.

\- Fyddan nhw'n neud 'run peth â'r bois ffwtbol ti'n meddwl?

\- Dylen nhw. Sdim dowt 'da fi am 'nny.

\- Falle gewn ni wared o 'Swing Low' am byth o'r diwedd.

\- Ma' Otoje 'di gweud yn barod bod e'n teimlo'n

anghyfforddus pan ma' fe'n clywed e.

- Ody e? O, wel, ma' gobaith 'te.
- Rhaid parchu teimlade'r bois hyn. Nhw sy'n gwbod. Nhw sy'n diodde, yn cael cam.
- Wy o blaid banio 'Swing Low Sweet Blydi Chariot'. Y gân 'na wastad wedi troi arna i.
- Russ? Ti'n iawn?
- Wy'n oreit. Jyst y Black Lives Matter hyn, ti'n gwbod. 'Di dod ag e i gyd 'nôl.
- Mae'n bwnc cymhleth.
- Nagyw.
- Nagyw e?
- Mae'n syml i fi. Du a gwyn. 'Sneb yn well na neb arall o achos lliw eu croen nhw.
- 'Sneb yn dadle â 'na.
- Wel, o's. Y racists. 'Na'r broblem.
- Ti'n gwbod yn iawn pam wnes i godi busnes y bois du.
- Ydw.
- Ma' fe i neud â wynebu'r gorffennol yn iawn. Er mwyn gallu symud mlaen.
- Os ti'n gweud.
- Wy'n gwbod bydd Ionawr nesa'n anodd i ti. Union ugen mlynedd.
- Ti yn cofio am y tro dwetha godest ti hyn 'da fi, yndwyt ti.
- Dorrest ti 'nhrwyn i.
- Wela i ti.
- Dere 'nôl. Russ. Plis. Stedda. Wedodd Anj wrtha i. Bod ti 'nôl fel o't ti, yn bwrw mas.
- Dim hi. Fi byth 'di bwrw hi.
- Bwrw mas yn dy ben. Neud pethe yn dy gyfer. Dorrest ti rwydi Mathew?
- Wedodd hi 'na?
- Naddo. Fi sy 'di bod yn meddwl.
- Pam fydden i'n neud 'na? Pysgotwr yw e, 'achan. O'dd e'n dibynnu ar y rhwydi 'na am ei fywoliaeth. Pam yffach fydden

i'n difetha bywoliaeth 'y mrawd-yng-nghyfreth?

- Sa i'n gwybod. Achos ffeindiest ti mas bod Anj wedi bod yn siarad 'da Mathew amdano ti.

- Ife 'na pam dyw e heb ddod heddi? Achos ma' fe'n meddwl fi na'th dorri 'i rwydi e? Ffycin hel.

- Na'th e ddim gweud 'nny. Fi sy'n gweud 'nny.

- Pam? No way fydden i'n neud 'na.

- 'Na ni 'te. 'Na beth o'n i moyn clywed.

- Ond o't ti'n gweld fi fel suspect. Anhygoel!

- Dere, Russ bach. Ti'n gweld bai arna i? Ti'm yn angel o bell ffordd.

- Wedes i ddim bo' fi. Ond 'sen i byth yn neud rhwbeth fel'na.

- Beth o'dd dy esgus dros crasio car Siencyn Charles blynydde'n ôl? Bygwth Ben Isaac â glass?

- Paid sbwylio heddi. Liverpool sy'n bwysig heddi.

- Dim ond jyst dala mlaen i dy job di wnest ti. Gymaint o withe. A hynny achos bacodd bois fel fi a Mathew ti lan. Ar yr amod bo' ti'n mynd i gael help proffesiynol.

- Dries i.

- Ddim digon caled.

- Dyw'r math 'na o beth ddim yn siwto fi.

- Ond ma' torri rhwydi Mathew yn?

- Am y tro dwetha – nage fi na'th!

- Oreit. Wy'n credu ti.

- Fyddi di'n gweud taw fi roiodd ystlum trwy letter-box Shwmae Chow Mein nesa. Neu taw fi racsiodd y green yn y Clwb Bowls.

- Paid bod yn ddwl. Sori bo' fi 'di ame ti.

- Mae'r holl beth... yr holl beth...

- Beth?

- Wy'n gwbod pam na'th Anj gael gair 'da Mathew. Wedodd e wrtha i i dynnu 'mys mas. Gatre. Hwfro. Whynnu bach o'r bac. Cwcan iddi erbyn iddi ddod 'nôl o'r gwaith. Neud mwy 'da'r un bach, yn lle bod ar yr X-Box.

- Ma' 'na'n ddigon teg, nagyw e.

- Ody, ynta. Ma' popeth mor...
- Siarad 'da fi, Russ.
- Yr holl beth, yr holl beth Black Lives Matter, ma' fe wedi dod ag e 'nôl mor fyw.
- Ie. Alla i weld alle 'na ddigwydd.
- A ti'n iawn. Yr ugen mlynedd yn dod lan. Ac amser ar 'y nwylo i, i feddwl. I gofio.
- Licen i roi 'mraich i o gwmpas ti, boi. Ti'n gwbod 'nny. O'ch chi'ch dou mor agos.
- Na'th lliw ei groen e byth godi'i ben. Byth. Achos plant o'n ni. Ffrindie gore.
- Cadw fynd. Ti'n neud yn dda.
- Wy'n gwbod, edrych 'nôl, bod e'n od, cael ffrind, crwt ysgol du mewn ardal wledig fel hyn. Hyd yn oed yn y nawdege, o'dd e'n od ffor' hyn. Ond jyst Gary o'dd e i fi, ti'n gwbod. Gary Nelson. A'i wên lydan oedd yn siŵr o neud i ti wenu hefyd.
- Ti'n iawn fan'na.
- Fydde fe 'di dwlu ar risylt nithwr. Boi Chelsea oedd e. Y ddou o'n ni wedi invento gêm gyda pencils ni. Fflico nhw yn erbyn ymyl y ddesg ac os o'n nhw'n dod 'nôl yr holl ffordd ac yn cwympo i'r llawr oedd hi'n gôl. Fe o'dd yn ennill bron bob tro. Ond doedd dim ots 'da fi. O'dd ffrind 'da fi. Un da. Ffrind am oes o'n i'n meddwl.
- Ma' fe dal 'da ti, Russ. Bydd e wastad 'da ti. Yr atgofion da, os adewi di nhw miwn.
- Nethon ni invento gymint o geme gwahanol 'da'n gilydd. Ride The Wave ar y llwybr ar bwys Cei Cadno.
- Fel Chicken. Herio'r don.
- Ond o'dd neb fod whare fe ar ben 'i hunan. 'Na beth o'dd y rheol. O'dd e rhy ddanjeris.
- Ti'n gwybod shwt un o'dd e. Licio pwsio'i hunan i'r edge.
- Ond mewn storm? Gwynt a glaw mowr? Tonne anferth?
- Dim bai ti o'dd 'na Russ. O'dd rhwbeth diened, gwyllt amdano fe druan.
- Storm fowr. Y môr yn wyllt. Fydde neb 'di gweud dim 'se

fe'n absennol y dwrnod 'nny. Aros gatre. 'Sen i 'di gweld ise fe, ond 'sen i 'di deall.

- Wrth gwrs fyddet ti.
- Sa i 'di meddwl amdano fe lot, dim ers blynydde mowr. Ond yn ddiweddar...
- Wedodd Anj bo' ti 'di dachre cael hunllefe, galw ei enw e mas.
- Wy ddim cweit yn deall beth sy 'di dod ag e'n ôl mor fyw i fi nawr. Cyn y Black Lives Matter hyd yn oed. Ers rhyw fis sdim un diwrnod 'di mynd heibio heb i fi feddwl amdano fe neu ei deulu ar ryw lefel. Hyd yn oed heddi. Wy'n gweld yr wylan 'na ar y to, yn edrych ar ôl ei rhai bach. A meddwl am Mrs Nelson druan yn becso amdano fe bownd o fod, yn mynd o'r ffarm i'r ysgol ar hyd y llwybr cul i'r dre ar ymyl y traeth yn y gwynt a'r glaw mowr y bore 'nny. A daeth e byth 'nôl.
- Mel Gwern Isa yn meddwl fod e wedi gweld ei got felen e yn y pellter, wedi cael 'i dynnu i'r dŵr mowr.
- Wy erioed 'di gweud hyn wrth neb. Ddim hyd yn o'd Anj. Ond wnes i wrthod credu'r peth. Am ddiwrnodau. Ffaelu derbyn e. O'dd y peth yn hurt. Pwy blydi boddi yn y môr? Ond wedyn weles i lun o'r creigiau a'r tywod yn y *Cambrian News*, lle ffeindion nhw'i gorff e. A treial callio, mynd i'r angladd. O't ti 'na 'fyd, y dosbarth hyna i gyd. Breian. Siencyn. Tegwen. Mathew. Ben. Pawb yn llefain y dŵr. O'ch chi'n diodde 'fyd. Sa i'n deall – pam bo' fi...
- Chi'ch dou oedd yn agos. Ma' pawb yn gwbod 'nny. O'ch chi fel brodyr.
- Licen i wbod shwt un fydde fe 'di bod. Ti'n gwybod? Wy'n credu bydde fe 'di aros ar y ffarm. Falle fydde fe gyda ni fan hyn nawr heddi, pwy a ŵyr?
- Bydde. Yn saff i ti. Sori boi, well i fi ateb y ffôn hyn. Mathew? Odyn, ni dal 'ma. Shwt y'ch chi 'na? Reit. Ie, ody. Ma' fe'n cofio atot ti. Codi ei fawd. Cofia ni at Jaci. Cofia nawr.
- Be sy'n bod, Neil? Pam wnest ti gofio ni at Jaci?
- Mae'r Covid hyn arni. Ma' Mathew a hi goffod self-eisoleto.

'Na pam o'dd e ffaelu dod. Sori boi, o'n i yn mynd i weud wrthot ti, wy'n addo. Jyst ddim moyn, wel...

- Sbwylio'r dydd.
- Ie, mewn ffordd.
- Ti heb. Mae'n oreit. Druan â Jaci. O'dd e wastad yn risg ynta, a hithe'n nyrs. Bydd hi'n iawn, na fydd hi? Mae'n ifanc.
- Bydd, ynta. Ise cadw'r peth yn dawel am nawr oedd Mathew. Dyw e heb weud wrth Anj 'to hyd yn o'd. Mae'r awdurdode'n gwbod, wrth gwrs. Ond dyw e ddim moyn achosi panic yn y dre.
- Wedes i wrth Anj fydden i'n ôl cyn dou. Wy'n gwbod bod hi'n becso amdana i.
- Ti'n mynd i fod yn ok 'da hi, nagwyt ti?
- Wy'n caru hi.
- 'Da ti un da fan'na. Keeper.
- Wy'n gwybod. Sa i'n haeddu hi.
- Nonsens. Chi'n haeddu'ch gilydd. A Llŷr bach 'fyd. Beth o'dd enw'r thing bach oren 'na 'to, gwed? 'Da'r wningen?
- Fflop.
- Fyddi di'n fwy o lwyddiant na Fflop, cofia di 'ngeirie i.
- Ti moyn help i gasglu'r sbwriel?
- Na, fydda i'n iawn. Af i i nôl menig a bag deche, cyn rhoi e yn y bin.
- Diolch i ti... ti'n gwbod, am heddi. Wna i gymryd be ti 'di gweud on board, wy'n addo.
- Gw' boi. O, yffach, Rambo 'di cael fi ar 'y mhen.
- Ha. Shit for luck o'dd Mam-gu arfer gweud.
- Allen ni neud tro â bach o lwc yn y dre 'ma ar y funud.
- Cofia, os o's rhwbeth alla i neud i ti. Unrhyw beth.
- Falle un o dy weddïau bach sbesial di. I Mathew a Jaci.
- Ie.
- Ac i Gary hefyd, os ti moyn.
- Ie. Ti folon mynd ar dy ben-glin 'da fi?
- Nawr?
- Ie. A rhag i ni anghofio'r achlysur, nei di adael i fi ganu, jyst yr unwaith hyn?

- Cyn belled bo' fi'n joino miwn, fel bo' fi ddim yn clywed ti.
- Walk on, walk on, with hope in your heart And you'll never walk alone, You'll never walk alone. Walk on, walk on, with hope in your heart And you'll never walk alone, You'll never walk alone.

# Perygl – Gwenwyn

Y peth fi'n caru am Wncwl Jim yw bod e llawn sypreisus ti'n gwybod ma' fe'n real laff ma' rhaid rhoi 'na iddo fe ac ma' fe'n cael laff da hefyd dim jyst bo' fe'n licio joio'i hunan ond sŵn yr actual chwerthin yn rili swnllyd a uchel hefyd ti'n gwybod gwichlyd like sy'n neud i bawb arall chwerthin pan ti'n clywed e neu o leia gwenu like a fi'n credu bod e'n swnllyd achos bod 'dag e broblem 'da'i glust e dyw e ddim yn gallu clywed yn dda iawn so probably dyw e ddim yn gallu clywed mor swnllyd yw e ti'n gwybod ond wy ddim yn gwybod pam ma' fe mor uchel a gwichlyd bron fel merch achos ma' Wncwl Jim dros six foot a'r person mwya hard y'f i wedi cwrdd â like er dyw'r ffordd ma' fe'n chwerthin ddim yn boddran fe wy ddim yn credu ti'n gwybod does dim byd wir yn boddran fe sy'n cŵl wel ddim y math o bother sy'n cadw ti ar ddihun yn y nos anyway like er bod e 'di cael llwyth o shit yn ei fywyd e a fi'n teimlo'n lwcus bo' fi wedi symud i mewn 'da fe ti'n gwybod bron dwy flynedd 'nôl nawr jyst cyn i fi ddachre Blwyddyn Deg like achos oedd Mam yn meddwl falle fydden i'n neud yn well out west ar lan y môr mewn ysgol llai er fi wnaeth blowo chances fi ar rhybudd olaf fi yn hen ysgol fi yn Caerdydd anyway ti'n gwybod ond fel mae'n digwydd 'na'r peth gorau gallai digwydd i fi achos fi'n caru fe fan hyn wastad wedi caru fe rili hyd yn oed pan o'n i'n dod 'ma am brêcs bob haf 'da Mam i weld Mam-gu pan oedd hi'n fyw a byddai hi'n dweud taw syniad hi oedd enw fi wedi syjesto fe i Mam like ar ôl rhyw gyfres teledu American oedd hi'n arfer watsio yn teenager o'r enw *Perry Mason* a ma' rhai pobol yn meddwl bod e'n short am Peregrine ti'n gwybod like yn y falcon sy'n cŵl ond ma' Wncwl Jim yn galw fi'n Peryg anyway achos dyw e byth wedi licio Perry ma' fe'n dweud bod e'n enw cissy neu yn enw shit cider so fi'n hapus 'da Peryg amser fi 'da Wncwl Jim neu weithiau amser ma' fe mewn rili good mood a moyn cymryd y piss ma' fe'n rhoi enw llawn Cymraeg newydd i fi Perygl Gwenwyn sy'n swnio fel enw ultra-Welshie arsehole a ma' Wncwl Jim yn licio dweud e fel ryw twat posh yn darllen y newyddion sy'n neud iddo fe chwerthin like a ma' 'na'n neud i fi chwerthin wedyn like a secretly ma' well 'da fi Perygl Gwenwyn na Perry Thomas achos ma' fe'n swnio fel rapper Cymraeg neu un o'r nytyrs pync 'na o way back ti'n gwybod a wy wastad wedi licio Wncwl Jim achos byddai fe'n dysgu fi pob math o bethau fel pysgota dim jyst yn y môr ond mwy yn yr afon if anything a bydden ni'n mynd i saethu cwningod hefyd gyda lamp a air-gun a byddai Mam-gu yn rhoi row i Wncwl Jim am gadw fi mas mor hwyr a anyway wnaeth Wncwl Jim drefnu parti syrpréis i fi gyda'r teulu ar Zoom ar gyfer sixteenth fi yn y Lockdown fan hyn so ges i weld Mam a dwy chwaer iau fi sy'n twins a hen ffrindiau fi o'r Diff Zac a Jake a gan taw diwrnod hiraf y flwyddyn oedd e aethon ni i eistedd ar y traeth itha hwyr tua deg o'r gloch i weld yr haul yn mynd lawr a rhoiodd Wncwl Jim sbliff i fi heb hyd yn oed edrych o gwmpas like achos oedd e ddim yn becso dam os oedd rhywun yn gweld ni na dim byd a achos ges i noson mor bril ar gyfer pen blwydd fi o'n i'n meddwl 'sen i'n rhoi syrpréis i Wncwl Jim am change like a fel rhyw fath o thank you es i i'r siop y bore ar ôl hynny a ges i garden Sul y Tadau iddo fe naddo fe ond pan roiais i fe iddo fe wedi ysgrifennu 'Gyda diolch am bopeth, Perry' arno fe wnaeth e jyst torri fe lan ti'n gwybod yn little pieces reit o blaen fi like a aeth e'n ballistic really ape shit fel wy heb weld e erioed o'r blaen yn dweud bo' fi'n dangos diffyg parch i Dad iawn fi a taw dim fe oedd dad fi taw brawd Mam oedd e sef wncwl fi like a aeth e ymlaen am o leia pum munud straight up heb brêc am Dad fi yn dweud shwt foi grêt oedd e a dylen i fod yn meddwl

amdano fe y diwrnod hynny Sul y Tadau ti'n gwybod am
memories fi gyda fe ond y gwir yw taw'r unig beth y'f i'n cofio
rili yw fe'n arllwys orange juice i fi trwy'r amser achos o'n i'n
caru orange juice a dim ond tri oed o'n i pan fuodd e farw for
fuck's sake a wedyn ma' Wncwl Jim yn mynd ymlaen i ddweud
pwy mor galed oedd hi i Mam yr adeg hynny gyda tri plentyn
bach iawn like a'u tad nhw wedi cael lladd mewn damwain
moto-beic ac amser o'n i'n gofyn i Mam amdano fe oedd hi jyst
yn dweud yr un peth bob tro bod y doctoriaid wedi dweud bod
e wedi marw yn syth a byddai fe heb syffro o gwbwl a ma' 'da fi
yr un gwallt coch â dad fi Rory the mad Irishman fel ma' Mam
yn galw fe amser ma' hi mewn rili good mood a ma' 'da fi yr un
llygaid blue-grey a fe hefyd apparently a fi'n gallu gweld rhyw
fath o resemblance erbyn hyn achos fi wedi tyfu i fod mwy fel
y llun o dad fi gyda Mam ar ddiwrnod eu priodas ond y funny
thing yw bo' fi wedi stopi moyn orange juice yn syth unwaith
sylweddolais i bod dad fi wedi mynd i'r Nefoedd like a hyd yn
oed heddi yn adult ma' jyst gweld orange juice yn neud i fi fynd
yn queasy like er fi ddim yn dweud hynna wrth unrhyw un os
y'n nhw'n offro fe i fi jyst dweud dim diolch like a I suppose fi'n
linco fe 'da bod 'da dad fi mewn rhyw ffordd weird ti'n gwybod
a fi ddim moyn mynd 'nôl i'r shit 'na i gyd sy'n fair enough fi'n
reckno ond anyway oedd Wncwl Jim wedi mynd mewn i ryw
batrwm gyda'r pysgota a'r saethu o ddysgu pethau i fi so ers fi
wedi bod yn byw 'da fe ma' fe wedi bod yn rhoi tasks bach i fi
neud neu Undercover Operations fel ma' fe'n galw nhw ti'n
gwybod i bwsio limits fi 'mbach a developo cymeriad fi fel ma'
fe'n rhoi e neu bod yn gyfrwys fel cadno ma' fe'n dweud 'na
hefyd like a ti byth yn gallu dweud pwy sort o task deith e lan
'da i ti achos fel dywedais i ma' fe llawn syrpreisys ond pethau
syml o'n nhw i ddechrau fel rhoi hoelen mewn i tyre car rhywun
neu crafu ochr car gyda Stanley knife neu torri'r tops off blodau
rhywun yn yr allotment a 'dyw e byth yn egluro pam ond fi'n
gwybod dy'n nhw ddim jyst yn pethau random a bo' nhw wedi
eu dewis yn ofalus like achos bod rhywun wedi piso fe off neu'n

waeth byth wedi piso Ingrid off sef y fenyw ma' fe'n aros draw
'da rhan fwya o weekends yn ei static caravan ar waelod cae isaf
Ffarm Brynglas two hundred yards o'r traeth ar outskirts y dre
a mae'r ddou o' nhw weithiau yn nofio yn y môr straight up
nawr yn stark bollock naked fel arfer pan ma' nhw out of their
heads yng nghanol y nos achos ma' pobol wedi gweld nhw a
complaino amdanyn nhw a gydag amser wnaeth y tasks bildo
lan i bethau mwy o smasio ffenestri tai i damejo green y clwb
bowls a wnes i itha licio neud hynny achos ma' athro Cymraeg
fi yn chwarae i'r clwb ac yn dead keen ar bowls a fi ddim yn licio
fe achos ma' fe'n meddwl bod e'n ddoniol ac yn clever gyda'i
quips bach off the cuff trwy'r amser er bod pawb yn gwybod
bod e'n wanker a drïodd e bod yn funny gyda enw fi hefyd ond
ddim mewn ffordd doniol fel Wncwl Jim wnaeth e jyst dweud
bod treigladau Welsh fi yn peri gofid 'na beth wedodd e a
wnaeth neb chwerthin anyway ond allai fe wedi catcho ymlaen
fel nickname ysgol i fi Peri Gofid ond wnaeth e ddim so oedd
e'n okay yn y diwedd ond fi heb dweud wrth Wncwl Jim am
athro Cymraeg fi'n treial bod yn funny 'da enw fi achos ma' fe
bach yn funny gyda revenge fe ar bobol a falle 'se fe'n chwythu
car fe lan neu rhywbeth ond anyway blwyddyn hyn aeth y tasks
bach mwy tricky ac o'n nhw'n aml i neud gyda bats achos
unwaith oedd Wncwl Jim wedi gweld y storis yn dod mas o
China oedd dim stop arno fe gyda'r linc gyda bats dim ond yn
conffyrmio popeth oedd e erioed wedi meddwl am bats achos
o'dd e'n gwybod popeth am bats like ble i ffeindio nhw hyd yn
oed amser o'n nhw'n cysgu a shwt i ladd nhw popeth o'dd
angen gwybod ac un o'r tasks rhoiodd e i fi oedd rhoi bat marw
trwy letterbox ein Chinese lleol ni Shwmae Chow Mein a ga'th
'na ei riporto i'r heddlu a popeth fel y gwair yn y bowls a wedyn
oedd rhaid i fi sgwennu enw mamgu fi Olwen yn y tywod a rhoi
tri bat wedi marw 'bytu ten yards oddi wrth ei gilydd like ar lan
y môr mewn cei cwpwl o filltiroedd i'r De o fan hyn a gallai
hynny wedi bod yn tricky ond wnes i fynd 'na jyst cyn y wawr
yn iwso goleuade newydd ar beic fi pan oedd e dal yn dywyll rili

a'r bats mewn bag ar cefn fi pan gyrhaeddais i oedd y tide way
out so wnaeth neb weld fi yn y diwedd achos oedd hi mor
gynnar neb yn cerdded ci na dim byd fel'na ac er bo' fi'n
meddwl bo' fi wedi neud good job like byddai Wncwl Jim byth
yn dweud da iawn na dim byd fel'na ond jyst nodio pen moel fe
mewn ffordd rili serious ti'n gwybod a weithiau stroko gwallt
fi fel 'se fe'n stroko ci like ond wy ddim yn meindio fe ddim yn
dweud da iawn dim rili achos fi'n licio neud y tasks anyway a
ma' rhai o' nhw wedi bod yn haws nag o'n i'n disgwyl fel torri
nets pysgota Mathew Phillips neu looseno bach o'r scaffolding
tu fas i Tŷ Mawr ar bwys yr harbwr neu ffonio rhif y boi 'ma at
least dwywaith y dydd gyda galwadau dead air a fi'n gweld nhw
fel challenge like a fi'n credu bod e'n iawn ti'n gwybod am
developo cymeriad fi hefyd a fi wedi itha licio'r Lockdown shit
hyn so far yn enwedig nawr bydd ddim rhaid i fi neud exams fi
nawr like a ma' Wncwl Jim wedi bod ar y ffôn yn barod gyda
rhai o'r athrawon yn dweud wrtho nhw i roi grades da i fi ac er
dywedodd e ddim 'or else' man a man 'se fe wedi like a ma' fe
wedi bod yn helpu fi hefyd ti'n gwybod i neud bach o gwaith
ysgol fi online gorau gallith e anyway achos ma' Mam wedi bod
ar Facetime i checko progress fi a ma' Wncwl Jim wedi bod yn
cŵl amdano fe i gyd ond anyway fi'n credu realizodd Wncwl
Jim yn itha clou bod e wedi rhoi bach gormod o row i fi amdano
y garden Sul y Tadau like pan aeth e'n bananas amser o'n i ond
yn treial diolch iddo fe so er mwyn dangos bo' ni dal yn
ffrindiau wnaeth e un o hoff bethau fi a cael battered sausage a
chips têc-awê ar y noswaith ar ôl hynny ti'n gwybod a ni wastad
yn bwyta hwnna ar bench ar bwys yr harbwr a ma' Wncwl Jim
yn licio fe pan 'sdim dŵr mewn 'na so ma' fe'n gallu gweld yr
adar yn ffaffan 'mbytu ac yn ddiweddar ma' 'na egret wedi bod
'na neu crëyr bach copog dywedodd Wncwl Jim oedd e yn
Gymraeg 'sdim syniad 'da fi shwt oedd e'n gwybod hynna like
wedi edrych e lan rhywle I suppose er mwyn iwso llais imitation
twat yn darllen y newyddion fe ond anyway mae'r egret hyn yn
debyg iawn i alarch jyst bod e'n fwy tenau a bod ei wddwg hir

yn stico mas like a sore thumb ti'n gwybod a ma' Wncwl Jim yn meddwl bod e'n anhapus achos 'dyw e ddim yn perthyn i deulu'r gwylanod er bod e'n treial yn galed i gymysgu 'da nhw ti'n gallu gweld bo' nhw ddim yn licio fe like a ma' Wncwl Jim yn meddwl bod y gwylanod yn grêt ti'n gwybod ac yn cytuno 'da nhw na ddylai nhw dderbyn yr egret fel rhan o'r tribe a 'mewnfudwr' alwodd e fe yn ei lais posh twat Cymraeg taking the piss like neu immigrant ti'n gwybod a ma' fe'n rhoi chips neu hyd yn oed weithiau peth o'r battered sausage i'r gwylanod er bod y bin sbwriel reit ar bwys y bench yn dweud 'Bwydwch Fi, Nid y Gwylanod' ond dywedodd Wncwl Jim ffycio 'na a bod y dre 'ma'n llawn o commands fel'na oddi wrth prats mewn siwts yn y cownsil sy'n gwybod fuck all am ddim byd a pan ma' fe fel'na ma'i lygaid e'n mynd yn weird bron fel 'sen nhw'n newid lliw gan fod e mor grac a ma' fe'n mynd yn grac bob tro pan ma' fe'n sôn am y cownsil a fi'n recno bod 'na achos oedd e'n caru'r amser ga'th e 'na pan oedd e'n gweithio i'r adran Environmental Health lle o'n nhw'n galw fe The Exterminator achos oedd e'n lladd llygod mawr fel rat catcher iddyn nhw a byddai fe'n lladd unrhyw beth oedd ddim i fod rhywle ac oedd e wedi pasio arholiadau a popeth so oedd 'da fe certificates i ddangos bod e'n gallu iwso poisons a stwff a byddai fe'n mynd yn frustrated 'da rhai anifeiliaid oedd 'dag e ddim hawl lladd nhw fel bats oedd e'n casáu bats achos o'n nhw'n protected species ac oedd e ddim yn gweld pam dylai nhw fod shwt favourites 'da'r Environmental achos lle oedd e yn y cwestiwn jyst rats yn yr awyr o'n nhw ond dim 'na pam ga'th e'r sac chwaith fi byth yn codi unrhyw beth i neud 'da'r cownsil 'da Wncwl Jim achos fi'n gwybod neith e ddim chwerthin am ages wedyn achos bod e'n rhoi e mewn mood horrible achos fi'n cofio amser oedd e'n arfer gweithio 'na byddai fe'n greeto fi yn gweiddi Exterminate Exterminate fel Dalek a byddai Mam yn egluro a 'na'r ffordd fi'n gwybod taw ei nickname e yn gwaith fe oedd The Exterminator a dywedodd Mam taw deep down oedd Wncwl Jim rili wedi moyn joino'r army pan oedd e'n iau ond oedd e'n turned down achos ei glust e ti'n gwybod ond fi'n credu bod e drosto 'na nawr achos wnaeth e hyd yn oed jocan amdano fe 'da fi like a dweud bod clustiau da yn essential ar gyfer combat achos 'sdim pwynt cael orders yn rong a lladd y person rong oes e a wnaeth e chwerthin mor swnllyd a mor uchel rili high pitch fel hyena er wy erioed wedi clywed hyena yn chwerthin na gweld un chwaith for that matter a byddai Wncwl Jim ddim yn boddran rhoi'r tray polystyrene yn y bin hyd yn oed pan oedd y chips i gyd wedi mynd a dim byd ar ôl i'r gwylanod achos oedd e ddim yn licio cymryd ordors wrth unrhyw un so fi ddim yn siŵr os byddai fe 'di bod much cop fel soldier anyway er bydden i byth yn dweud 'na wrtho fe a ma' fe'n licio pwyntio ar signs fel 'Peidiwch Nofio yn yr Harbwr' a pan ti'n edrych rownd y lle like ti'n gallu gweld pwynt Wncwl Jim ti'n gwybod bod 'na lot o ordors o'r cownsil bobman rili trwy'r amser fel 'Codwch Faw Eich Ci' a 'Dim Mynediad i Lwybr yr Arfordir' a dywedodd e taw dim ond un instruction sydd wir ise i bobol rili cymryd sylw o' fe a nickname fi yw hwnnw Perygl Gwenwyn pan ma' fe ar unrhyw beth ti'n gwybod tun neu botel neu beth bynnag Danger Poison ac o'n i ddim rili yn cytuno ag e am 'na achos ma' loads o signs pwysig eraill fel yr electricity transformer neu beth bynnag yw e sydd wedi ffenso off ar bwys y car park a sy'n neud rhyw fath o humming noise a ma' 'da hwnnw Perygl Marwolaeth arno fe sy'n swnio fel brawd neu chwaer mwy evil fi ond mae llun o rhywbeth sy'n edrych fel lightning bolt ar y sign 'na a fi'n licio signs gyda lluniau arnyn nhw neu weithiau jyst llun yw'r sign neu llun i represento rhywbeth a ma' Wncwl Jim yn licio swastika a ma' 'dag e tatŵ bach o un ar ei fraich dde a ma' fe'n browd iawn ohono fe a llun arall ma' fe'n licio yw un o gylch gyda llinell trwyddo fe sy'n rhywbeth i neud â White Supremacists sy'n cŵl a fi'n credu achos o'n i'n ôl yn ffrindiau unwaith eto y nos Lun 'nny ar ôl Sul y Tadau dywedodd Wncwl Jim bo' fi digon hen nawr i fynd lawr i'r seler 'da fe a agorodd e'r drws gyda dou allwedd mawr oedd yn agor dou deadlock like a oedd rhaid iddo fe rili pwsio'r drws trwchus a wnaeth e agor yn creako ti'n gwybod fel mewn horror film ac oedd rhaid i fi fod yn rili gofalus yn mynd lawr y steps dim jyst achos oedd e'n itha tywyll ond achos oedd y steps ddim yn gryf iawn ac oedd peth o'r pren wedi pydru ac achos oedd dim byd i ddal ymlaen iddo fe ond oedd e werth ei weld fair play fel rhyw fath o Aladdin's Cave ti'n gwybod gyda pob math o canisters a tins gyda Danger Poison arnyn nhw a lot o contraptions rhyfedd hefyd o'n i ddim yn gwybod beth o'n nhw ond wnaeth Wncwl Jim egluro taw maglau neu snares i ddal pethau o'n nhw pethau fel gwaddod neu hyd yn oed mochyn daear ti'n gwybod a achos dim ond un bylb oedd 'na oedd e itha scary rili a wnes i twtcho rhywbeth a troiais i rownd i weld taw mwnci oedd e straight off wir nawr heb air o gelwydd a achos sgrechais i wnaeth Wncwl Jim chwerthin gymaint oedd rhaid iddo fe beswch ei hunan yn strêt a wedyn sylweddolais taw mwnci wedi stwffio oedd e mewn glass case a bod e wedi menthyg e am bach a o'n i'n gwybod o'r ffordd wedodd e menthyg taw dwgyd oedd e'n meddwl a wedyn sylwais i ar rail gyda loads o ddillad gwahanol arno fe outfits yn hongian ar hangers rhai o' nhw 'da iwnifforms military ond hefyd pethau llawn sbort fel gwisgoedd Superheroes fel Spiderman a Superman ond ddim Batman fi'n credu bod e wastad wedi casáu Batman wel ddim wastad falle oedd e'n licio Batman pan oedd e'n fach ond o'n i'n gwybod bod y gwisg Superman 'na o flynyddoedd 'nôl pan oedd Wncwl Jim yn mynd ar protests gyda rhywbeth o'r enw Fathers For Justice achos ma' 'da Wncwl Jim ferch sydd ddim lot yn iau na fi ond er iddo fe neud yr holl brotestio hyd yn oed yn Llundain a chwbl oedd e ddim lot o iws yn y diwedd ti'n gwybod achos oedd ddim hawl 'dag e i weld ei ferch ei hunan sef cousin fi Shelley yw enw hi fi'n gwybod 'nny er fi erioed wedi gweld hi like mainly achos bod mam hi'n bitch dywedodd mam fi a fair play dyw Mam byth yn siarad fel'na so mae'n rhaid bod mam Shelley'n un drwg iawn a ma' nhw'n byw rhywle yn Scotland nawr a wedi neud ers blynyddoedd a dyw Wncwl Jim ddim fod mynd yn agos atyn nhw ti'n gwybod neu eith e straight to jail do not collect two hundred pounds fel roiodd Mam e amser oedd hi wedi yfed gormod un Nadolig blynyddoedd 'nôl nawr pan oedd hi a fi Kylie a Katie i gyd yn chwarae Monopoly ac er o'n i'n falch cael mynd lawr i'r seler neu'r dwnjwn fel alwodd Wncwl Jim e o'n i'n falch mynd 'nôl lan staer hefyd achos oedd y lle wedi spooko fi mas rili ac oedd e'n oer hefyd rili oer ti'n gwybod y math o oer sy'n neud i dy drwyn di deimlo'n wlyb fel trwyn ci neu'r math o oer ti'n dychmygu un o'r fridge freezers tal 'na yn y bwtsiwr i fod y rhai ti'n gallu cerdded mewn iddyn nhw a hongian oen cyfan lan neu mochyn falle neu ti'n gallu cael cau mewn ynddo nhw a marw cael slow frozen death like a fi'n cofio ffilm gyda carcasses yn hongian watsiais i gyda Wncwl Jim o'r enw *The Long Good Friday* a wnaeth Wncwl Jim egluro bod e am yr IRA rili ti'n gwybod a fi'n caru watsio ffilms 'da Wncwl Jim enwedig rhai hen fel *Reservoir Dogs* neu hyd yn oed fwy hen fel ffilms *The Godfather* ma' Wncwl Jim yn caru ac yn gwybod popeth amdanyn nhw a weithiau wna i ddal *Mastermind* ar y teli a fi'n reckno gallai Wncwl Jim gael y points i gyd yn y rownd Specialist Subject ti'n gwybod os byddai fe'n dewis *The Godfather* a wythnos diwethaf dywedodd e bod e'n barod i ddangos rhai ffilms ma' fe wedi downloado trwy'r dark web neu rhywle achos dywedodd e bod un deg chwech digon hen i weld stwff adult proper grown up stuff dywedodd e ac o'n i bach yn nervous ti'n gwybod am beth fyddai hynna exactly achos er fydden i'n OK 'da violence siŵr fod o'n i ddim yn meddwl 'sen i'n licio watsio porn 'dag e fyddai hynny ddim yn cŵl o gwbl like ond ma' fe'n meddwl bod cyrraedd un deg chwech yn rhyw fath o rili big deal a watershed moment galwodd e fe achos fi'n credu alla i ladd pobol legally yn yr armi nawr neu priodi os wy moyn neu siagio legally hefyd a falle dylen i neud move ar Ffion actually sydd yn class fi yn ysgol a itha keen arno fi fi'n credu anyway ti hyd yn oed yn cael fotio yn un deg chwech nawr so allen i helpu i abolisho'r Welsh Assembly ma' Wncwl Jim yn casáu cymaint achos ma' nhw'n rili slack ar immigration

apparently enwedig yn y dinasoedd ti'n gwybod a wedyn ma'
fe'n sôn am y ffeit ges i gyda bachgen Polish ar y bws ysgol fel
example da bo' nhw'n drwbwl achos yn y diwedd 'na beth ga'th
fi wedi expelo er taw bwrw'r bwli o'n i'n neud helpu bois llai
ond fi ga'th taflu allan o'r ysgol dim y bachgen Polish so falle
bod point gyda Wncwl Jim a fi ddim wir moyn siarad am y ffeit
ar y bws achos wnaeth e rili ypsetio Mam a neud iddi lefain a
popeth ond wedyn mae Wncwl Jim 'nôl ar favourite pwnc casáu
e ti'n gwybod y cownsil yn dweud bo' nhw i gyd mor corrupt
yn rhoi backhanders i'w gilydd like a favouro siaradwyr
Cymraeg ar gyfer y top jobs i gyd sydd dim yn reit rili a bod
Llywodraeth Cymru ddim yn neud dim byd amdano fe achos
bo' nhw hefyd yn rotten to the core 'na beth y'n nhw yn ôl
Wncwl Jim anyway a ma' 'na advert 'di bod ar y teli yn
ddiweddar am yr app hyn ti'n gallu cael i glirio compiwtyrs o
unrhyw stwff dark web a pan welodd Wncwl Jim e wnaeth e
chwerthin a chwerthin achos ma' fe itha clever 'da pethau fel'na
y sort o meddwl mewn ffordd gwahanol 'na goffod cadw un step
ymlaen o'r rest trwy'r amser ma' fe'n dweud 'na lot a ma' fe'n
meddwl byth ers iddo fe fynd ar protests yn Llundain 'da'r
English Defence League gyda rhyw ddynion oedd e wedi
cyfarfod amser oedd e gyda'r Fathers For Justice thing ma' fe'n
reckno fod pobol yn watsio fe ti'n gwybod surveillance like a
by that dim y dozy plods rownd ffordd hyn sydd rhy slo i ddal
annwyd na proper Security like anti-terrorist neu whatever sy'n
ddwl rili achos no way yw Wncwl Jim yn terrorist neu hyd yn
oed violent rili er ma' 'dag e dymer fel matsien gallu bod a wnes
i ond ffeindio mas yn ddiweddar ti'n gwybod bod y problem
'da'i glust e ond wedi dechrau ar ôl iddo fe fod mewn ffeit yn
teens fe ac yn y diwedd wnes i watsio rhyw weird shit wedi
downloado yn mynd o beth fi'n credu oedd rhyw fath o training
exercise gyda rhyw ddynion itha tew mewn iwnifforms yn
chwysu wrth iddyn nhw rhedeg o amgylch rhyw fynydd yn cario
fflags Lloegr gyda St George crosses arnyn nhw i ddynion eraill
ar ffermydd yn siago geifr a donkeys wnaeth i fi grimeso pan

welais i fe a wnaeth hynny neud i Wncwl Jim chwerthin a wedyn smociodd e rhyw stwff rili heavy ti'n gwybod wnaeth neud i llygaid fe rhedeg a oedd ei speech e'n slurred ond oedd e'n blaban mlaen a mlaen am pwy mor grêt oedd e'n teimlo mewn gwisg Superman a bod 'na rhyw German philosopher wedodd Wncwl Jim ei enw e ond fi ddim yn gallu cofio fe nawr like a anyway oedd y German hyn â theori am super race sort o theori Superman oedd yn profi bod y White race yn superior i races eraill ti'n gwybod a wrth gwrs oedd hynny'n wir a oedd e ddim jyst yn ddwl i wadu hynny ond yn beryglus dangerous like achos oedd y blacks a'r Muslims on the rise a cyn bo hir os na wnelen ni rhywbeth byddai dynion dosbarth gweithiol gwyn fel fi a fe wedi cael eu obliterato ti'n gwybod a oedd e'n swnio tamaid bach fel Nigel Farage a wnaeth Wncwl Jim gwrdd â hwnnw ar march yn de Cymru a cael ffoto 'da fe hefyd y ddou o' nhw â'u peints yn eu dwylo a mae'r llun wedi fframio ac yn hongian lan yn y tŷ bach lawr staer a fi'n treial cael y gwaed off fi nawr yn y gawod ti'n gwybod yn rwbio'r sebon fel rhywbeth mad a fi yn mad hefyd yn mad o grac 'da Wncwl Jim achos fe ddywedodd dylen i dod lan 'da syniadau am Undercover Operations newydd yn hunan a fi'n gwybod ga'th e'r sac 'da'r cownsil am racist comments tuag at ddyn du yn Llanarth oedd moyn confyrtio sgubor e ond oedd e wedi ffeindo bach o animal activity yn y to a oedd yr Environmental wedi cael eu galw a oedd Wncwl Jim yn gallu gweld o'r droppings bod y lle yn llawn o bats so oedd rhaid stopi'r building plans ac oedd y dyn wedi bod yn rhesymol iawn like ond apparently oedd Wncwl Jim wedi dweud wrtho fe yn hytrach na bildo tŷ yn Llanarth pam 'se fe'n mynd 'nôl i fyw yn Affrica a wnaeth y dyn achwyn i'r cownsil a 'na beth oedd y diwedd i Wncwl Jim 'da'r cownsil a er iddo fe esgus bod e ddim yn meindio like o'n i'n gwybod bod e wedi cael siom big time achos oedd e'n caru'r job 'na The Exterminator a 'na pam seicles i lan ar bwys Llanrhystud a spreio swastika a symbol White Supremacists ar y 'Cofiwch Dryweryn' shit 'na mae'r ultra-Welshie twats mor obsessed amdano a wnaeth Wncwl Jim sylwi bo' fi wedi bod mas ar beic fi like a gweld stains du ar jîns fi hefyd so dywedais i beth o'n i wedi neud ti'n gwybod ac aeth e'n nyts hyd yn oed mwy ballistic na ar Sul y Tadau like achos ie o'n i fod dod lan â syniadau am Undercover Operations fy hunan ond oedd rhaid trafod nhw a planio nhw in detail gynta so wnaeth Wncwl Jim neud i fi dowlu jîns fi bant 'da'r rybish like a'r can aerosol spray iwses i hefyd ond wedyn pan gŵlodd e lawr 'mbach a gweld mor siomedig o'n i gyda reaction fe wnaeth e arllwys cwpwl o lagers i ni ti'n gwybod a clinco glass fe yn erbyn un fi a dweud bo' fi yn y gêm nawr 'na beth dywedodd e over and over bo' fi yn y gêm nawr yn nodio yn rili serious a stêro i llygaid fi fel 'sen i wedi troi mewn i rywun arall neu rhywbeth a ma' fe'n gwasgu braich dde fi'n rili dynn like a dweud nawr bo' fi yn y gêm byddai repercussions a fi'n gwybod nawr beth oedd e'n meddwl wrth 'na achos pan ddihunais i'n hwyr bore 'ma o'n i'n gallu teimlo rhywbeth gwlyb a slimy nesa ata i a gwelais i to my horror bod pen a gwddwg egret yn y gwely 'da fi reit nesa ata i a jwmpais i mas yn sgrechen gyda gwaed sticky y gwddwg ar dwylo fi ac ar ochr chest fi a fi'n sgwrio a sgwrio gyda'r sebon yn gobeithio deith e off a treial peidio llefain ti'n gwybod ond hyd yn oed mor bell i ffwrdd â'r bathrwm fi'n gallu clywed Wncwl Jim yn ystafell wely fi yn dal i chwerthin a chwerthin yn ei lais swnllyd uchel dros theme music *The Godfather* yn chwarae yn y cefndir.

# Mae Bywydau Du o Bwys

Dywedodd Elgan wrthi'n syth y dylai hi fod wedi gwneud y cyfweliad. Roedd hi fel aur i adran newyddion S4C, nid yn unig yn Gymraes Gymraeg ifanc ddu ond yn Gymraes Gymraeg ifanc ddu oedd yn gweithio ar linell flaen yr NHS. Tynnodd ei choes ar y ffôn gan ddweud y byddai'n cael ei sioe ei hun cyn diwedd y flwyddyn petai'n cytuno.

Gwrthod y cais yn gwrtais wnaeth Andrea. Roedd hi moyn byw bywyd normal. Oherwydd lliw ei chroen, mae'n debyg bod hynny'n ormod i'w ofyn. Petai hi wedi cytuno i wneud y cyfweliad, ai dyna fyddai ei diwedd hi? Onid oedd yna berygl iddyn nhw ofyn iddi wneud mwy o gyfweliadau yn y dyfodol? Nid dim ond ffieidd-dra anochel y cyfryngau cymdeithasol a yrrodd ei phenderfyniad chwaith. Doedd bod yn rhyw fath o lefarydd i Black Lives Matter yng Nghymru ddim yn dod yn naturiol iddi. Doedd e ddim yn ei hanian.

Dywedodd y cynhyrchydd wrthi am ystyried ei chais ta beth, gan adael ei rhif ffôn personol. Os fyddai Andrea yn newid ei meddwl yna byddai'r drws dal ar agor iddi.

Doedd hi ddim wedi disgwyl i'r bêl gael ei tharo'n ôl i'w chwrt hi. Roedd hynny'n chwarae ar ei meddwl wrth iddi yrru adref o'r ysbyty'r noswaith honno, yn gwrando ar George Ezra ar y radio. Canfu ei hun yn gwasgu fwyfwy ar y sbardun wrth i'r gerddoriaeth gyflymu. Yn ôl ei harfer ar y ffordd 'nôl o'r gwaith teimlodd ryw gymysgedd rhyfedd o flinder a gorfoledd.

Yn ei gwaith fel ffisiotherapydd roedd un achos penodol wedi rhoi cryn bleser iddi'r diwrnod hwnnw. Dim ond ychydig wythnosau'n ôl roedd y claf yn ymddangos fel petai ar ei wely angau. Roedd hi wedi ei helpu i ddechrau cerdded eto'r prynhawn hwnnw. Ei enw oedd Teifi Morgan. Roedd hi'n ei adnabod o ran golwg o'r dre gan ei fod e'n byw wrth y cei gyda'i wraig, Eleri. Bu Elgan yn yr un dosbarth ysgol â'u merch, oedd wedi symud i Iwerddon.

Ar ei sgan ymdebygai ysgyfaint Teifi i ddarnau mân o wydr wedi eu malurio lle roedd y feirws wedi llwyddo i ledaenu ei ddinistr. Os fyddai'n gwella'n iawn o gwbl yna byddai'n cymryd misoedd, blynyddoedd, mwy na thebyg. Roedd Andrea eisoes wedi adrodd ei chredo mawr iddo: 'Un dydd ar y tro nawr, Teifi, trïwch edrych ar rannau bach y darlun mawr ontife, un ar y tro, yn hytrach na'r darlun cyfan ar ben ei hunan.'

Cododd Teifi ei fawd yn sigledig. Roedd wedi colli dros bymtheg pwys ac yn safio'i lais, oedd wedi gwanio'n arw. Pan ddaeth e allan o gilfachau dyfnion ei fywyd ar beiriant anadlu roedd e ar chwâl yn llwyr, yn dangos symptomau deliriwm. Argyhoeddodd ei hun fod y meddyg wrth erchwyn ei wely yn neb llai nag Abraham Lincoln. Gwnaeth y meddyg, Tom Herbert, rhyw sylw ysmala ei fod yn debycach yn ei PPE i aelod o'r Orsedd neu i fersiwn liwgar o Darth Vader.

Synnodd Andrea ei hun â'i dirmyg llwyr tuag at gyhoeddusrwydd. Cydymdeimlodd ei mam, Gloria, â hi. Roedd crefu am normalrwydd, yn enwedig yn y cyfnod eithafol hwn, yn ddealladwy. Wedi'r cwbl roedd ganddi statws amlwg yn lleol eisoes, wedi i Elgan roi syrpréis iddi a gofyn iddi ei briodi mewn modd mor gyhoeddus.

Bu raid iddyn nhw ganslo eu gwyliau i Wlad yr Iâ oherwydd y feirws. Heb yn wybod iddi roedd Elgan wedi bwriadu gofyn iddi ei briodi ar bwys geiser yn Reykjavik. Gan fod hynny'n amhosibl bellach, trefnodd Elgan i'w chyfarfod yn siop Iceland yn Aber a mynd lawr ar ei lin gyda'r fodrwy yn ei law gyferbyn â'r adran pizzas wedi rhewi. Roedd yn weithred nodweddiadol o dwymgalon ar ran Elgan a dywedodd Andrea 'gwnaf' yn y fan a'r lle i gyfeiliant bonllef o gymeradwyaeth a chwibanu o gyfeiriad y cwsmeriaid syn.

Byddai hynny ynddo'i hun wedi bod yn iawn. Yn anffodus, tyfodd y stori fel caseg eira, a chyn iddi sylweddoli roedd y ddau wedi ail-greu'r olygfa yn y siop ar gyfer ffotograffydd o'r *Cambrian News*, er mawr hapusrwydd i fam Elgan, Yvonne.

Nid oedd pawb yn hapus â'r datblygiad. Cafodd sawl sylw hiliol eu cyfeirio tuag atynt ar y cyfryngau cymdeithasol, neu'r 'anti-social media' fel y'u galwyd gan Gloria.

Bu'r ddau ar dudalen flaen y *Cambrian News*, dan y pennawd 'Covid Hero's Cool Proposal'. Dyna oedd y peth arall. Roedd enw Elgan eisoes wedi bod ar dudalen flaen yr un papur fis ynghynt. Cafodd ei alw i ddigwyddiad yn y dre lle roedd dyn, mas o'i ben ar gyffuriau, yn ymddwyn yn fygythiol. Llwyddodd Elgan a'i gyd-heddwas, Delme, i arestio'r dyn am achosi ffrwgwd. Pan aethpwyd ag ef i'r orsaf yn Aber poerodd y dyn i lygaid Elgan gan glochdar yn hy ei fod e eisoes wedi dal y feirws.

Bu'n amser pryderus i Andrea wrth i Elgan aros am ganlyniad ei brawf Covid-19. Roedd hi eisoes yn becso'n barhaus am wendid posib ei rhieni hi i ffyrnigrwydd y feirws – fel hi ei hun, roedd y ddau ar y llinell flaen yn eu gwahanol ffyrdd. Fel hi hefyd, roedd risg uwch na'r cyffredin ganddynt o fynd yn sâl iawn gyda'r feirws oherwydd eu hethnigrwydd. Gallai wneud tro heb y pwysau ychwanegol o bryderu am iechyd ei dyweddi.

Diolch i'r drefn, daeth canlyniad Elgan yn ôl yn glir.

Prynodd y ddau dŷ gyda'i gilydd yn ddiweddar ar yr heol a arweiniai i'r parc. Cam naturiol, felly, oedd y dyweddïad. Bu'r tŷ ar werth am fisoedd heb fawr o neb wedi trafferthu mynd i'w weld. Anogwyd Andrea gan Elgan i fod yn amyneddgar ac aros i'r pris ostwng. A dyna ddigwyddodd. Symudon nhw i mewn ar ddiwedd Chwefror, mis cyn y Clo Mawr.

Meddyliodd Andrea y byddai ei mam yn gweld ei heisiau hi ac yn torri ei chalon o'i gweld yn gadael y nyth yn Aberystwyth, ond nid felly y bu. 'Twenty-eight is too old to be living with your mum and dad, Andrea,' meddai hi. Ychwanegodd fod Elgan yn ddyn ffein, solet oedd yn dod ymlaen gyda phawb. Os rhywbeth, ei thad, John, deimlodd ei hymadawiad i'r byw. Wrth iddo gario'r olaf o'i bocsys i'w chartref newydd dywedodd wrthi am beidio bod yn ddieithr a 'keep in touch'. Clywodd Andrea rhyw gryndod annodweddiadol yn ei lais wrth iddo ddweud y tri gair a'i tarodd yn ei chalon fel saeth.

Roedd Yvonne, mam Elgan, wrth ei bodd. Doedd hi ddim yn gyfrinach ei bod hi wastad wedi bod moyn merch, er y byddai'n ychwanegu bob tro ei bod hi wedi cael ei bendithio gyda thri mab arbennig. Roedd Andrea'n dod ymlaen yn dda iawn gydag Yvonne, yn hoff iawn o'i meddylfryd gwraig ffer, di-lol, yn dweud pethau fel yr oedd hi yn finiog ddirodres. Roedd Elgan hefyd yn ei gweld yn ddoniol er y byddai iaith goch ei fam yn gallu peri embaras iddo, yn enwedig o flaen dieithriaid. Rheg o ryw liw neu'i gilydd oedd bob yn ail air ganddi ar y gorau, felly pan glywodd am yr ymosodiad ar Elgan trodd yr awyr yn las. Gorchmynnodd ei gŵr, Irfon, i fynd i 'ffeindio'r brych wnaeth blydi poeri yn llygaid Elgan ni a cher â'r pinsiwrn 'sbaddu 'da ti i ddwgyd cerrig y bastard.'

Datblygodd Andrea ac Yvonne berthynas glòs, gyda'r ddwy wrth eu boddau'n mynd i siopa gyda'i gilydd. Ar un achlysur o'r fath yng Nghaerfyrddin cyfarchodd Yvonne ddyn canol oed oedd yn syllu'n ddirmygus hiliol ar Andrea gyda'r cwestiwn beth ar y ddaear oedd yn bod arno? Oedd e heb weld menyw ifanc bert o'r blaen?

Edmyga Andrea hyfdra heriol Yvonne. Fyddai hi byth bythoedd yn gallu meddu ar y fath hyder byrlymog ei hun, ddim tase hi'n treial am fil o flynyddoedd. Neu o leia dyna oedd hi'n arfer ei feddwl.

Yna, ar hap, daeth ar draws Eleri, gwraig Teifi. Roedd y ddwy ohonynt yn prynu hufen iâ o'r hatsh yn y wal oedd newydd agor yn siop deli Dai Powell, Dailicious. Eisteddodd y ddwy ar begynau eithaf un o'r meinciau ger y cei i wylio'r adar yn yr harbwr. Diolchodd Eleri i Andrea am ei help gydag adferiad Teifi. Bu'n gyfnod mor boenus i'r teulu cyfan, eglurodd, gan iddi hi, Eleri, hefyd ddal y feirws, er ddim mor ddrwg â'i gŵr. Cyfaddefodd ei bod hi ar un adeg wedi meddwl ei fod e wedi mynd am byth.

'Os oes unrhyw beth, unrhyw beth o gwbl allwn ni fel teulu ei wneud i'ch helpu chi neu'ch cyd-weithwyr, yna plis rhowch wybod i ni,' meddai, cyn gorfod llyfu bonyn ei chornet lle roedd ei hufen iâ wedi dechrau diferu oherwydd y gwres.

'Wel, o'n i moyn gofyn eich cyngor chi, i weud y gwir,' atebodd Andrea.

'Clatsiwch bant, bach.'

'Wy 'di ffeindio mas bach mwy amdano Teifi yn ddiweddar. A chi hefyd. Oedd y ddou ohonoch chi'n weithgar iawn yn wleidyddol, aethoch chi i'r carchar hyd yn oed, dros yr iaith.'

'Do. O'dd pethe eraill yn mynd â'n sylw ni hefyd, cofiwch. Diarfogi niwclear. Hawliau sifil yn America. O'dd pobol fel Martin Luther King yn ddylanwad mowr ar Teifi a finne. Anferth. O'n ni dal yn ein harddegau pan saethwyd e, druan.'

'Yna wy'n credu galla i ddyfalu beth fydd eich cyngor, 'te,' meddai Andrea, yn methu atal ei hun rhag gwenu. Aeth hi yn ei blaen i sôn am y gwahoddiad i gael ei chyfweld ar raglen newyddion S4C ac yn ôl y disgwyl, mynnodd Eleri nid yn unig ei bod hi'n cymryd rhan ond y dylai wneud hynny'n fyw, er mwyn sicrhau na allai'r cynhyrchwyr olygu'r hyn ddywedwyd ganddi i siwtio'u naratif nhw.

Holodd Eleri hi wedyn a fu hi yn y digwyddiad Black Lives Matter ar Draeth y De yn Aberystwyth. Teimlai Eleri ei hun yn euog na fu hi yno, oherwydd ei bod hi'n weddol fregus ar y pryd, newydd ddod mas o'r ysbyty. Cadarnhaodd Andrea ei bod hi wedi mynd i'r brotest gyda'i mam a'i thad, a bod calonnau'r tri ohonynt wedi'u codi gydag undod cefnogaeth y rhai eraill oedd yno, o bob lliw a llun ac oedran. Gan deimlo'n gartrefol yng nghwmni Eleri cyfaddefodd Andrea iddi hi ac Elgan lefain ym mreichiau ei gilydd pan welson nhw fideo saethu George Floyd.

Er bod Andrea yn parchu barn Eleri roedd ei hawgrym i gynnal y cyfweliad yn fyw yn wallgof. Gwyddai na fyddai'n gallu gwneud hynny. Roedd hi'n dechrau cydnabod, fodd bynnag, rywle yng nghefn ei meddwl, y byddai hi'n ffonio rhif personol y cynhyrchydd teledu wedi'r cwbl.

Serch hynny, roedd llais bach cwynfanllyd hefyd yng nghefn ei meddwl yn ei hatal rhag gwneud hynny. Mynnai'r llais holi 'pa hawl sy 'da ti i achwyn am hiliaeth?' O'i gymharu â'i thad, John, a oedd wedi ffoi o gyfundrefn Idi Amin yn Iwganda i dde Cymru roedd hi wedi cael amser goddefgar. Roedd ei thad yn dal i gael ei ddifrïo'n sarhaus weithiau fel gyrrwr bws du wrth weithio i TransBus Cymru. Cafodd ei mam hefyd, brodor o Gaerdydd a nyrs am bron i ddeugain mlynedd, ei siâr o sarhad hiliol beunyddiol. Ar y cyfan wnaethon nhw erioed godi llais, gan gymryd pob ergyd eiriol yn dawel. Yn nhyb Andrea dyna fu tacteg nifer o'u cenhedlaeth nhw, rhag iddyn nhw ennill enw drwg fel gweithwyr trafferthus a chanfod eu hunain yn sydyn yn ddi-waith.

Cafodd hithau ei gwawdio nifer o weithiau ar hyd y blynyddoedd. Defnyddiwyd y gair 'N' yn aml yn yr ysgol yn Aber ac ar ambell noson feddw tu fas i dafarn neu fwyty Indiaidd. Felly oedd, roedd Andrea hefyd yn fwy na chymwys i siarad, o leiaf ar ran ei chenhedlaeth hi. Onid oedd ganddi ddyletswydd i ladd am byth y celwydd na chododd hiliaeth ei ben salw uwchben y pared yn y Gymru wledig? Oni ddylai ystyried y cais am gyfweliad o ddifri?

Fel mae'n digwydd, hiliwr yn y pen draw wnaeth ei hargyhoeddi taw dyna oedd y ffordd ymlaen.

Yn ystod wythnosau cynnar y Clo Mawr, pan fyddai shifftiau Elgan yn caniatáu hynny, roedden nhw wedi mynd i'r arfer o gael rhyw drît bach arbennig bob nos Iau. Fydden nhw'n mwynhau clywed y gymeradwyaeth i'r NHS ac yn ymuno yn y curo dwylo eu hunain cyn cael rhywbeth bach sbesial i swper. Weithiau byddai Andrea yn dod adre gydag un o'r prydau blasus y byddai'r ffoaduriaid o Syria yn eu paratoi i staff yr ysbyty fel diolch am y croeso o'n nhw wedi'i dderbyn yn Aber. Ar adegau eraill bydden nhw'n cael tec-awê Tsieineaidd o'r Shwmae Chow Mein ar ochr draw'r parc.

Un noswaith roedd Andrea am roi syrpréis i Elgan pan fyddai'n cwblhau ei shifft. Penderfynodd nôl ei hoff bryd Tsieineaidd o Shwmae Chow Mein, sef y Chicken Satay gydag egg fried rice. Ei bwriad oedd y byddent yn rhannu potel o win gwyn haeddiannol gyda'r bwyd, er mwyn treial eu gorau glas i wneud y peth hwnnw oedd yn mynd yn fwyfwy anodd ei gyflawni dan bwysau a straen bod ar y llinell flaen, sef ymlacio.

Ffoniodd i archebu'r bwyd a deng munud yn ddiweddarach fe gychwynnodd gerdded trwy'r parc i'w gasglu. Er nad oedden nhw'n orfodol byddai Andrea yn aml yn gwisgo mwgwd a menig os fyddai'n mynd allan, mwy mas o arfer na dim byd arall. Ar ei ffordd i'r bwyty Tsieineaidd sylwodd ar ddyn canol oed yn eistedd ar un o'r meinciau yn y parc. Roedd ganddo wyneb lliw betys a mop o wallt ceinciog a oedd mewn gwirionedd yn edrych yn debyg iawn i ben mop go iawn. Roedd e'n gwisgo côt ddyffl ddu, drwchus wedi ei chlymu wrth y wast â rhaff drwchus oedd yn gwneud iddo edrych mymryn fel mynach.

Nid oedd hwn yn ŵr sanctaidd. Wrth i Andrea nesáu tuag ato sylwodd ei fod yn yfed o botel fach o wisgi. Ystyriodd newid trywydd ei thaith a mynd ar draws y gwair i'r gât bellaf, ond penderfynodd gadw at ei bwriad gwreiddiol a chadwodd ei phen tan y funud olaf. Methodd beidio â gwgu ac ochneidio trwy ei mwgwd wrth iddi sylwi ar sawl potel gwrw wedi'u torri'n yfflon ar y llwybr yn union wrth ymyl y dyn. Wrth iddi nesáu'n fwy fyth sylwodd ar y darnau siarp o wydr yn fanylach. Roeddent yn ei hatgoffa o ysgyfaint truenus Teifi.

'Wy'n licio'ch masg chi,' meddai'r dyn, 'trueni nad y'ch chi 'di cwato'r rest o' chi hefyd.'

Teimlodd Andrea'r gynddaredd yn rhuthro i'w hymennydd ond cyfrodd i bump a cheisio'i gorau i'w anwybyddu wrth iddi anelu am y gwair agored. Nid oedd hi wedi gweld y dyn o'r blaen felly doedd dim pwynt gwaethygu'r sefyllfa drwy ymateb. Teimlodd gywilydd a siom am adael iddo ddweud y fath beth ffiaidd heb ateb yn ôl ond llwyddodd i gadw'n dawel a cherdded draw trwy'r gât i'r heol lle oedd Shwmae Chow Mein.

Wrth iddi dalu â'i cherdyn digyffwrdd sylwodd fod ei dicter wedi ei ddisodli gan deimlad o ryddhad a hyd yn oed balchder ei bod hi wedi llwyddo i reoli'r sefyllfa. Roedd hi'n benderfynol na fyddai'r dyn yn y parc yn sbwylio'i swper gyda'i darpar ŵr.

Aeth Andrea gartref ar hyd y ffordd hirach, trwy'r strydoedd o amgylch y parc er mwyn osgoi unrhyw gythrwfl pellach. Wrth iddi basio'r hen fanc, ar gau am byth ers dros flwyddyn nawr, sylwodd ar y dyn unwaith eto, yn ei hwynebu ar y pafin. Y tro hwn roedd ganddo ddarn o wydr yn ei law.

'Os chi'n teimlo mor gryf am y glass sy 'di torri dewch 'nôl 'da fi i bigo fe lan,' meddai.

'Alla i ddim. Rhaid i fi fynd.'

'Wy'n credu dylech chi ddod 'nôl 'da fi, gan fod y glass 'di ypsetio chi gymaint,' meddai eto, yn fwy penderfynol y tro hwn, gan chwifio'r darn gwydr yn fygythiol o flaen Andrea.

'Wy ddim moyn trwbl. Wy jyst moyn mynd adre.'

'Ie. Cewch adre. Cewch 'nôl i ble daethoch chi!'

Yn sydyn ffeindiodd Andrea rhyw don o egni o rywle.

'Beth ma' 'na hyd yn o'd yn meddwl? Wy'n dod o ugain munud lan yr hewl. Wedi 'ngeni a'n magu yn Aberystwyth. Ma' Mam o Gymru a Dad yn UK citizen ers dros ddeugain mlynedd. Anfonon nhw fi i ysgolion Cymraeg yn Aber. Wnes i hyfforddi fel ffisio yng Nghymru. Wy wedi byw a gweithio yng Nghymru, dim unrhyw le arall!'

Cafodd y dyn rhyw egni newydd o rywle hefyd gan fynd reit lan at Andrea a chwifio'r darn gwydr yn agos i'w hwyneb.

'Ni ddim moyn chi rownd ffor' hyn. Dyw e ddim yn reit!'

Dalodd Andrea y melyn yng ngwyn ei lygaid wrth iddyn nhw rowlio'n feddw yn ei ben a phenderfynodd ei baglu hi oddi yno mor glou â phosib. Wrth iddi redeg nerth ei thraed feiddiodd hi ddim troi rownd i'w weld ond gallai glywed y diawl yn chwerthin a rhegi ar ei hôl hi heb symud modfedd.

Roedd hi'n falch o gyrraedd gartref a rhoddodd ddau blât yn syth yn y ffwrn i dwymo. Fyddai Elgan 'nôl unrhyw funud. Teimlai'n falch ei bod hi wedi sefyll lan i'r dyn ond doedd hi ddim yn siŵr a ddylai sôn am y digwyddiad wrth Elgan, ddim yn syth ta beth. Ailadroddodd yr un gair dro ar ôl tro yn ei phen. Normal. Normal. Normal. Roedd gormod o ddrama yn ei bywyd, lot gormod.

Hanner ffordd trwy eu pryd Tsieineaidd gofynnodd Elgan a oedd rhywbeth o'i le. Roedd e'n amlwg wedi pigo lan ar ei chywair treial rhy galed, fel 'se hi moyn profi bod popeth yn iawn.

Ar ôl iddi adrodd yr hanes daeth meddylfryd yr heddwas proffesiynol i'r fei. Beth oedd angen arnynt oedd tystiolaeth bendant. Ble, yn gwmws, wnaeth y bachan wthio'r darn gwydr i gyfeiriad ei hwyneb? Cofiodd Andrea taw jyst tu fas i'r peiriant twll yn y wal ddigwyddodd e, sef yr unig ran o'r hen fanc oedd yn dal yn weithredol i'r cyhoedd.

Nodiodd Elgan yn ystyrlon, fel petai hynny'n arwyddocaol. Eglurodd fod camera bach CCTV oedd yn dal i gael ei ddefnyddio gan y banc yn yr union fan honno. Byddai wedi dala'r digwyddiad bygythiol, yn ôl pob tebyg. Os oedd hi'n dymuno bwrw ymlaen â'i chyhuddiad ac erlyn y dyn yna gallai wneud adroddiad i un o gyd-weithwyr Elgan yfory. Byddai modd dod o hyd i gynnwys y fideo hefyd, mwy na thebyg.

Bron cyn iddo orffen ei frawddeg olaf roedd Andrea eisoes wedi dweud 'ie' gydag arddeliad. Ie. Byddai hi'n erlyn y dyn. Dyma fyddai ei normal newydd hi nawr. Polisi dim goddefgarwch. Am unwaith byddai hi'n mynd yn groes i'w chyngor ei hun ac edrych ar y darlun cyfan a oedd yn newid yn llawer rhy araf. Bu llawer gormod o gnoi tafodau, o edrych y ffordd arall. Roedd e wedi mynd ymlaen am lot rhy hir.

Ddeuddydd yn ddiweddarach, ar ôl adrodd ei hochr hi o'r digwyddiad yn yr orsaf, adroddiad oedd wedi'i gefnogi gan dystiolaeth fideo werthfawr, arestiwyd gŵr deugain oed, Robert Morlais James, brodor o Ben-parc ger Aberteifi.

Bwrodd Andrea ymlaen â'r cyfweliad ar gyfer S4C hefyd. Cafodd ei ffilmio ar Skype o'i thŷ, wedi ei recordio o flaen llaw ar ôl diwrnod llawn o weithio fel lladd nadredd. Roedd hynny'n beth da mewn ffordd achos chafodd hi ddim o'r cyfle i wneud ei hunan yn nerfus. Cafodd ddwy sesiwn gyda Teifi, oedd yn gwella'n raddol erbyn hyn, y pnawn hwnnw. Soniodd Andrea wrtho y byddai ar raglen newyddion S4C y noson honno a gofynnodd iddo ddiolch i Eleri am ei chefnogaeth.

Bu'r holwraig yn sôn yn fras cyn y recordiad am y math o gwestiynau y byddai hi'n eu gofyn ac roedd Andrea wedi ymlacio'n llwyr. Roedd hi wedi cyrraedd y pwynt hwnnw o flinder lle mae popeth yn ymddangos yn groyw o glir. Roedd hi'n dawel ei meddwl, wedi ffocysu'n llwyr. Heb grybwyll ei hachos llys ei hun a fyddai yn yr arfaeth soniodd am y sarhau difrifol a ddioddefodd hi a'i theulu ar hyd y blynyddoedd yn yr ardal hon o'r Gymru wledig. Sicrhaodd hi'r holwraig fod mwyafrif llethol pobol Ceredigion wedi bod yn garedig iawn iddyn nhw fel teulu. Lleiafrif bach iawn oedd yn hiliol yn ei barn hi, ond lleiafrif oedd yn medru gwneud dolur hefyd. Roedd addysg yn rhan o'r ateb i'r broblem, oedd, ond roedd yn rhaid sefyll lan iddyn nhw hefyd a dangos eu bod nhw'n anghywir i feddwl yn y fath fodd, ac i wneud hynny os yn bosib mewn ffordd urddasol.

Ar ôl i'r cyfweliad ddod i ben diolchodd y newyddiadurwraig i Andrea a gofyn iddi am ei chaniatâd i rannu ei manylion cyswllt â'i chyd-weithwyr yn Radio Cymru a Radio Wales. Wrth ymyl Andrea, o olwg y camera, roedd Elgan yn nodio'n frwd, a chytunodd Andrea i'r cais.

Er ei bod wedi mwynhau'r cyfweliad yn fwy nag yr oedd hi wedi disgwyl ei wneud, teimlai Andrea ryddhad fod y cwbl drosodd. Roedd hi wedi dod â rhai danteithion Syriaidd gyda hi o'r gwaith i swper, pryd bach tri chwrs yn wir. Dolma, sef dail y winwydden wedi eu stwffio, yn gwrs cyntaf, Kibbeh traddodiadol yn brif gwrs a chacennau semolina Basbousa i bwdin.

Ni allai feddwl am fwyta unrhyw beth cyn i'r eitem newyddion gael ei darlledu, er iddi lwyddo i yfed hanner potel o win gwyn yn hawdd. Teimlad rhyfedd oedd gweld ei hun ar y sgrin ond ar y cyfan roedd hi'n blês â'r darllediad. Synnodd braidd eu bod nhw wedi cadw pob rhan o'r cyfweliad, gair am air.

Yn syth ar ôl i'r rhaglen orffen cysylltodd sawl aelod o'i theulu a ffrindiau hefyd i ddweud mor dda roedd Andrea wedi siarad. Urddasol oedd y gair ddewisodd Yvonne, yn ailadrodd y term o'r cyfweliad ei hun. Chwarddodd Elgan ac Andrea am hynny wrth fwyta'u swper. Ffoniodd Eleri i'w llongyfarch hi hefyd. Gan deimlo ychydig o embaras ceisiodd Andrea droi'r sylw oddi arni hi ei hun, gan ddweud pa mor blês oedd hi gyda gwellhad Teifi a'i bod hi'n falch bod ei lais wedi dychwelyd. Atebodd Eleri taw Andrea ei hun oedd wedi canfod ei lais. Fel Yvonne, dywedodd Eleri fod Andrea yn urddasol iawn o flaen y camera.

Roedd Andrea'n ddigon hapus i dderbyn 'urddasol'. Dyna'r math o fyd yr hoffai fyw ynddo, y math o fyd efallai, maes o law, y byddai hyd yn oed yn magu teulu gydag Elgan ynddo. Wrth iddi gnoi un o'r cacennau semolina tu hwnt o flasus, wedi ei phobi yn llawn caredigrwydd gan ffoaduriaid o Syria, sylweddolodd fod Eleri yn llygad ei lle. Roedd hi wedi canfod ei lais. Cael ei chyfweld ar gyfer rhaglen newyddion S4C oedd ei normal newydd.

# I Anfeidredd a Thu Hwnt

Mae mam Nathan wedi mynd ag ef a'i chwaer i Draeth y De am bicnic. Mae'n ddydd Sadwrn heulog braf, a'r traeth yn weddol wag. Dim ond tua ugain o bobol eraill sydd yno a chwpwl o gŵn, gyda bylchau mawr rhwng y grwpiau ar hyd y chwarter milltir o lan môr. Ymestynna'r traeth o ymyl maes parcio'r Clwb Hwylio draw i bentir creigiog Esgair Wen. Maen nhw wedi setlo tua chanol y traeth, hanner ffordd rhwng y ddau bwynt hyn, o flaen y ddau ddarn o graig sy'n ymestyn o'r tywod fel dwy garreg fedd.

Adeilada Rhian, chwaer Nathan, gastell tywod gan roi cragen yn ffenest i bob tyred. Mae hi wedi ymgolli'n llwyr ym mhrysurdeb ei saernïaeth bwysig. Mae eu mam, Donna, yn canolbwyntio ar lenwi llyfr *Toy Story* Nathan, yn lliwio'r cymeriadau gwahanol yn amyneddgar â'i dewis eang o bennau ffelt. Mae hyn wedi tyfu'n obsesiwn iddi. Mynna ei fod yn ei helpu i dawelu ei meddwl. Ceisia'n galed i edrych fel pe bai hi wedi ymlacio, yn pwyso'i chefn ar un o'r creigiau, ei sodlau wedi'u sodro'n ddioglyd sownd yn y tywod.

Dyw Anti Debbie ddim yn fodryb go iawn i Nathan, ond yn gweithio gyda'i fam ac yn berchen fan. Mae hi'n eistedd ar flanced las tywyll ac yn rhwbio eli haul cryf i'w hysgwyddau a'i hwyneb. Mae ei gwisg nofio oren llachar yn rhy fach iddi, ond nid yw'n edrych fel pe bai'n meindio hynny. Mae'n ddiwrnod braf o haf, Sadwrn cyntaf Gorffennaf, ac er taw dim ond dau o'r gloch yw hi all Nathan ddim aros i'r diwrnod ddod i ben.

Yr union adeg hon ddoe cafodd corff ei dad-cu ei losgi. Bu

angladd o fath yn yr amlosgfa ond cadwodd mam Nathan y rhestr o bobl a allai fod yno i lawr i ddeg, yn dilyn cais swyddogion y lle. Ni chafodd Nathan na Rhian fod yn bresennol. Roedd eu mam yn meddwl y bydden nhw yn rhy ypsét.

Gofynnodd Nathan pwy gafodd fynd yno. Ei fodryb go iawn, anti Kim a'i gŵr Jason. Rhai o ffrindiau ei dad-cu o dafarn Yr Angor, gan gynnwys y landlord, Eifion. Rhai ffrindiau eraill o'r gwaith a chwpwl o ddynion y byddai'n cael ambell fwgyn a sgwrs gyda nhw yn y Rhandir, gan gynnwys Alwyn, oedd â braich artiffisial. Ar un achlysur dangosodd Alwyn i Nathan sut i ddatgysylltu'r fraich, wrth i Nathan helpu ei dad-cu i ddyfrio'r planhigion. Cyn i Nathan gyfarfod Alwyn, dywedodd ei dad-cu wrtho am beidio gwneud synau sydyn uchel pan oedd o gwmpas, os fedrai beidio. Bu Alwyn yn ymladd yn y rhyfel yn Afghanistan ac roedd e dal yn nerfus o synau cryfion annisgwyl. Alwyn oedd wedi gofalu ar ôl planhigion tad-cu Nathan yn ystod y Clo Mawr pan fu'n gaeth i'w gartref.

Roedd dau reswm pam ofynnodd Nathan pwy oedd yn yr angladd. Roedd yn awyddus i ganfod a fu ei dad yno, wedi ei ryddhau o'r carchar ar gyfer achlysur arbennig, o bosib. Roedd e hefyd am wybod a oedd ei gefnder a chyfnither, Megan a Lee, yno, gan fod y ddau'n hŷn nag e, yn wyth a deg oed. Ni wahoddwyd ei dad. Na Megan a Lee chwaith. Dywedwyd wrthynt am wneud yn gwmws beth wnaeth Nathan a Rhian. Am union ddau o'r gloch ddoe wnaethon nhw chwarae cân Randy Newman 'You've Got A Friend In Me', arwyddgan y ffilm *Toy Story*, a meddwl am y pethau braf wnaethon nhw efo'u tad-cu. Dyma'r gân yr hoffai ei chwibanu o amgylch y tŷ, a weithiau byddai'n ei chanu i Nathan a Rhian os oedd e'n rhoi help llaw gydag amser gwely. Weithiau byddai'n ei chanu ar fympwy, heb unrhyw reswm o gwbl.

Mae Nathan yn gwybod nad yw ei fam wedi ymlacio. Mae e'n gwybod ei bod hi'n becso amdano fe. O bryd i'w gilydd mae hi'n codi ei phen o'r llyfr *Toy Story* ac yn gwenu arno, ac mae

Nathan yn gwybod ei bod hi'n ceisio dyfalu beth mae e'n meddwl amdano. Meddwl am ei dad-cu mae e. Yn meddwl am y tro olaf iddo ei weld. Roedd gan ei dad-cu fasg o amgylch ei geg i'w helpu i anadlu wrth iddo gael ei lywio i mewn i'r ambiwlans ar gadair olwyn. Roedd golau glas yr ambiwlans yn fflachio'n dawel ac am eiliad fe ddaliodd wyneb syn ei dad-cu gan wneud iddo edrych yn fwy rhyfedd fyth. Nid oedd y seiren yn canu oherwydd ei bod hi'n gynnar iawn a doedden nhw ddim am ddihuno pobol. Roedd ei dad-cu yn ofnus, siŵr fod. Llwyddodd serch hynny i roi ystum bawd i fyny a wafio ffarwel i Donna, oedd yn sychu ei dagrau ar y pafin.

'Dyw mam Nathan ddim yn gwybod ei fod e wedi gweld hyn i gyd o ffenest ei stafell wely. Roedd hi'n gynnar iawn, chwarter wedi pump y bore, bron i dair wythnos yn ôl nawr. Doedd ei dad-cu ddim wedi bod yn cysgu'n dda gan nad oedd yn medru anadlu'n iawn. Ychydig o ddiwrnodau wedi i'r ambiwlans fynd clywodd Nathan ei fam yn dweud wrth Anti Debbie eu bod nhw wedi gofyn ar y ffôn a oedd gwefusau Tad-cu wedi troi'n las ac a oedd e'n gallu dweud brawddeg. Trodd gwefusau Nathan yn las un tro ar ôl bwyta lolipop glas. Edrychai'n hynod, fel rywbeth o ffilm arswyd.

Nid yw'n licio meddwl am ei dad-cu â gwefusau glas.

Mae e'n teimlo'n grac â'i fam. Nid dim ond oherwydd na chafodd fynd i'r angladd. Roedd hi wedi bod yn ypsét ac wedi gweiddi ar ei dad-cu cyn i'r ambiwlans gyrraedd. Yn dweud pethau cas. Yn sôn bod e wedi dianc o'r tŷ. I'r dafarn. Yn canu yno gyda'i ffrindiau. Wedi mynd mas i'r fainc ger y Rhandir hefyd, yn chwerthin gydag Alwyn a Stan. Yn ogystal â hyn cafodd ei weld yn cerdded ar Draeth y Gogledd. Ni pharodd y diangfeydd am hir. Jyst tra oedd mam Nathan yn gwneud rhywbeth arall, yn nôl pethau o'r fferyllfa neu'n siopa. Dywedodd fod Tad-cu wedi bod yn slei. Pam nad oedd e wedi gwrando arni? Pam? Swniai'n siomedig iawn yn ei thad, ond teimlai Nathan nad oedd e'n iawn iddi fod yn grac gyda'i dad-cu pan oedd e'n dost.

Llefodd Rhian pan chwaraeodd Anti Debbie y gân *Toy Story*. 'Dyw Nathan ddim yn meddwl ei bod hi'n deall yr hyn sydd wedi digwydd, ddim yn iawn – hynny yw, na fydd Tad-cu'n dod 'nôl o'r ysbyty. Pan ddywedwyd wrth Nathan a Rhian ei fod e wedi marw soniodd eu mam 'fod e wedi mynd i'r Nefoedd. Roedd yn edrych i lawr arnyn nhw'n barod, yn gwenu arnyn nhw. Mae Nathan yn meddwl taw rwtsh yw hyn. Doedd e ddim yn dymuno'u gadael nhw. Doedd 'na ddim rheswm iddo wenu.

Hefyd, mae Nathan yn gwybod bod 'na ochr arall i'r Nefoedd, un mwy tywyll, sinistr. Uffern yw enw'r lle ble mae pobol sydd wedi gwneud pethau drwg yn mynd. Er ei fod wedi ei gosbi yn y carchar am ladd rhywun yn ddamweiniol wrth yrru ei gar, gallai ei dad dal fynd i Uffern. Felly penderfynodd Nathan taw nonsens oedd y cwbl. Nid oedd am feddwl am ei dad yn mynd i Uffern, hyd yn oed os byddai hynny'n golygu na allai ei dad-cu fynd i'r Nefoedd chwaith.

Roedd Anti Debbie wedi treial helpu. Oherwydd bod Tad-cu wedi dala'r feirws bu'n rhaid i Nathan a Rhian a Donna aros yn y tŷ heb fynd i unman am rai diwrnodau. Byddai Anti Debbie yn eu Sgeipio nhw bob nos a gadael pethau neis iddyn nhw mewn bocsys bach plastig ar garreg y drws ffrynt, fel chocolate brownies a lemon drizzle cake. Dywedodd hi os byddai busnes go-certi ei gŵr yn ailagor yn ystod yr haf yna byddai hi'n sicrhau y byddai Nathan yn cael sawl gwers am ddim. Nid oedd Nathan yn meddwl y byddai hynny'n digwydd. Fyddai ei fam ddim yn gadael iddo fynd. Roedd hi wastad yn ei drin e fel 'se fe dal yn fabi. Dyna oedd mor wahanol am Tad-cu. Fyddai e byth yn siarad lawr ag e. Byddai bob tro yn ei drin yn gyfartal.

Wrth iddo gofio hyn fe lenwodd ei lygaid â dagrau. Roedd yn grac bod hyn yn digwydd. Nid oedd am gael ei ddala'n llefain fel ei chwaer.

Sylwodd ei fam arno yn rhwbio'r dagrau o'r neilltu.

'Be sy'n bod, bach?'

'Dim byd.'

Sylwodd Nathan ar ei fam ac Anti Debbie yn edrych ar ei

gilydd. Dyna fe eto, yr edrychiad oedd yn mynnu ei drin fel petai'n fabi. Fyddai Tad-cu byth yn rhoi'r fath edrychiad iddo.

Edrychodd Rhian i fyny o'i chastell tywod, ei gwefus isaf yn crynu. Cododd Nathan ei law lan tua'r awyr gan weiddi yn ei lais Buzz Lightyear gorau, 'To Infinity And Beyond!' Byddai hyn bob tro yn gwneud i Rhian chwerthin, gweld ei brawd yn chwarae'r ffŵl wrth ddynwared un o arwyr *Toy Story*. Gweithiodd ei dric, fel arfer, a dychwelodd Rhian i ddewis cregyn addas i'w chastell tywod a enwyd yn Gastell Teifi. Roedd rhes o warchodfilwyr o'i flaen erbyn hyn, wedi eu gwneud allan o brennau.

Penderfynodd mam Nathan ei bod hi'n adeg da i symud ymlaen i'r picnic. Brechdanau caws a ham, creision halen a finegr, afal bach yr un. Potel fawr o Orange Fanta o'r bag oer i Nathan a Rhian. Cwpwl o ganiau lager i'w fam ac Anti Debbie. Roedd Nathan yn awyddus iawn i ddangos i'w fam ei bod wedi gwneud cam ag ef wrth ei gau allan o angladd ei dad-cu.

'Wnaeth Tad-cu siarad 'da fi 'mbytu Infinity,' meddai. Edrychodd ei fam ac Anti Debbie ar ei gilydd unwaith eto, ond y tro hwn doedd dim byd yn mynd i'w atal.

'Wedodd e bod e tu draw i bopeth, heb unrhyw stop iddo fe, byth yn bennu.'

'Ma' 'na'n neis, bod e 'di gweud 'na,' meddai Anti Debbie.

'Wedodd e hefyd fod pobol yn dod o'r sêr, bod ni wedi ein gwneud o'r un peth sydd y tu fewn i ddwst sêr,' parhaodd Nathan.

''Sdim dwst ar sêr, ma' nhw'n dis... disgleirio,' mentrodd Rhian, heb edrych lan.

'Na. Wy'n credu bod 'na'n wir, bach. 'Mbytu bod ni wedi ein gwneud o'r sêr,' meddai Donna, fymryn yn betrusgar.

'Wrth gwrs bod e'n wir! Wedodd Tad-cu bod e'n wir! Wnaeth e byth ddweud celwydd wrtha i – yn wahanol i ti. Gyda dy Nefoedd ddwl. Wedodd e bo' ni wedi ein gwneud o ddwst ac yn mynd 'nôl i fod yn ddwst!'

'Yyyyycchch!' meddai Rhian, yn tynnu wyneb salw nawr,

ddim moyn unrhyw beth i'w wneud â dwst, a throi at ei mam i ychwanegu mewn llais crynedig, 'A pam bod Nathan yn gweud bod Nefoedd yn ddwl?'

Yn methu dioddef ei rwystredigaeth am eiliad arall, neidiodd Nathan ar ei draed a rhedeg i lawr i ymyl y môr, yna cerddodd i mewn i'r heli lan at ei ben-gliniau.

Daeth ei fam i lawr yn syth i weld a oedd e'n iawn.

'Mae'n ddrwg 'da fi bo' ti 'di cael siom 'mbytu ddoe, Nathan. Ac mae'n ddrwg 'da fi nad o'n i'n gwybod bod ti a Tad-cu wedi siarad am bethau fel dwst sêr. Wy'n meddwl bod 'na'n lyfli.'

Cododd Nathan ei ysgwyddau yn ddi-hid.

'Pan gewn ni ei lwch e 'nôl o'r amlosgfa, ei ddwst, wy'n addo gwneith y tri ohono' ni, Rhian hefyd, ei daflu fe mewn i'r pridd yn ei Randir gyda'n gilydd. Fyddet ti'n licio 'na?'

Nodiodd Nathan, wedi ei blesio. Hoffai fod yn agos i'w fam yn y môr, y tywod yn oer dan ei draed.

'O'dd e'n gwybod bod e'n mynd i farw,' meddai Nathan mewn ffordd ffwrdd-â-hi. 'Wedodd e taw ar ôl iddo fe fynd fi fydde dyn y tŷ a bydde rhaid i fi fod yn ddewr.'

Tro Donna oedd hi nawr i sychu'r dagrau o'i llygaid.

'Ti'n gwybod galli di siarad 'da fi 'mbytu unrhyw beth, unrhyw adeg, nagwyt ti, Nathan?'

Nodiodd Nathan.

'O'n i byth yn gwybod bod 'da Tad-cu enw canol. Weles i fe ar y peth angladd oedd ar y ford. Stephen Glyn Roderick.'

'O'n i bron galw ti'n Glyn. Gair arall am "cwm" yw e.'

Nodiodd Nathan eto. Er bod e'n licio'r enw roedd yn well gydag e ei enw'i hunan. Dywedodd Tad-cu taw enw proffwyd oedd e, fel super-hero, ond yn y Beibl.

Y noson honno gofynnodd Donna i Nathan gysgu gyda hi a Rhian. Bu'n ddiwrnod hir ac ar ôl colli ei thad roedd hi moyn cael ei phlant yn agos iddi. Roedd hi'n noson glòs, dwym, ac roedd Nathan yn meddwl am yr hyn ddywedodd ei fam wrtho. Bod e'n gallu siarad gyda hi am unrhyw beth. Unrhyw adeg.

Roedd e moyn sôn wrthi am freuddwyd gafodd e. Breuddwyd braf lle'r oedd Woody a Buzz a gweddill giang teganau *Toy Story* yn torri mewn i garchar ei dad a'i ryddhau pan oedd pawb arall yn cysgu. Fyddai ei dad yn chwarae draffts gydag e ar ford y gegin, fel oedd Tad-cu yn ei wneud, ond y tro hwn roedd Buzz a Woody a gweddill y criw yn eu gwylio. Ac yna'n union ar doriad gwawr bydden nhw'n mynd ag e 'nôl i'w gell yn dawel fach. Yn y bore ni fyddai unrhyw un yn y carchar yn gwybod lle bu tad Nathan.

O'i ochr e o'r gwely gallai Nathan weld yr awyr trwy'r bwlch agored yn y cyrtens. Nid oedd yn noson glir felly ni allai weld unrhyw sêr. Gwyddai taw gair arall am ddwst oedd llwch ond nad oedden nhw'n gywir yr un peth chwaith. Roedd llwch yn fwy trwchus ac yn gwynto'n wahanol. Roedd e wedi gweld cryn dipyn o lwch, ym mlwch llwch ei dad-cu ar bwys y deckchairs yn yr ardd ac mewn pot bach arbennig oedd e'n ei gadw ger y fainc yn y Rhandir. Nid oedd Nathan yn licio arogl llwch. Roedd e'n gobeithio y byddai ei fam yn gallu stopi ysmygu. Ni ddylai ei dad-cu fod wedi ysmygu chwaith, ddim yn iawn, nid gyda fe'n diodde o asma hefyd. Roedd Tad-cu wedi dweud hynny ei hunan.

Gwyddai Nathan nad y mwg a laddodd e serch hynny. Y feirws wnaeth hynny, y feirws a ddaeth o Tsieina. Feirws mor niweidiol roedd e'n cael chi os oedd rhywun yn canu neu weiddi neu hyd yn oed chwerthin ar eich pwys chi. Na, doedd Nathan ddim yn licio'r syniad o lwch, ond roedd e wrth ei fodd â'r syniad o ddwst. Synnodd ei fod yn teimlo ysfa i drafod y pethau hyn gyda'i fam. Sôn am ei freuddwyd, am ddwst, am mor ddrwg oedd y feirws. Roedd e moyn siarad gyda hi yr eiliad hon. Roedd hi wedi dweud unrhyw adeg, wedi'r cwbl.

Edrychodd Nathan ar wyneb blinedig ei fam, wedi ei oleuo gan lamp y stryd. Roedd hi'n gwneud rhyw symudiadau bach sydyn, yn grwgnach o ddyfnder ei thrwmgwsg. Roedd ei chwaer wedi ei chyrlio'i hun nesaf ati, a doli o Woody yn dal yn ei llaw. Penderfynodd beidio dihuno ei fam. Roedd ganddo ddigon o amser i sôn wrthi am yr hyn oedd ar ei feddwl. Fe oedd dyn y tŷ nawr. Dim ond nes byddai ei dad yn dod mas o'r carchar. Byddai'n rhaid iddo barhau i fod yn ddewr.

# Mae Eich Galwad yn Bwysig i Ni

Pwy a ŵyr pam mae pobol yn bennu lan ble maen nhw neu gyda phwy bynnag 'sda fi ddim syniad beth yw'r gwir atyniad i le daearyddol neu i berson a falle bod e'n well peidio gwybod a chadw rhyw elfen o ddirgelwch neu'r 'wn i ddim' fel wede Marc ac o leia wnes i ddim jyst rhoi pin mewn map fel mae rhai pobol wedi bostian bo' nhw 'di neud a jyst bennu lan ffor' hyn heb reswm wel Saeson yn bennaf sy 'di neud 'nny a bod yn deg ac wrth gwrs mae ambell un o'r rheiny wedi setlo 'ma ers blynyddoedd a chyfrannu'n fawr i'r gymuned 'sdim ishe edrych yn bellach na Marc ei hunan sydd wedi dysgu Cymraeg yn ddigon da i fod yn weinidog yng nghapel Ebeneser ac wedi mynd o Mark gyda 'k' gafodd ei eni a'i fagu yn Birmingham i fod yn Marc gydag 'c' a swnio fel 'se fe wedi ei eni a'i fagu ar dopie Pen-uwch ware teg pan ma' fe'n siarad Cymraeg heblaw am ambell i 'wn i ddim' ac ambell air ffansi fydde Cymry cyffredin byth yn eu defnyddio fel 'astrus' ond mae'n ddyled i'n fawr iddo fe achos fe dynnodd fi mas o bwll diwaelod ware teg a dal ati hefyd fel ci ag asgwrn i wneud yn siŵr nad oedd yr iselder wedi gafael arna i yn y Lockdown diawledig hyn nes bo' fi'n peidio codi'n y bore na bwyta fawr ddim chwaith a'r cwbwl wedi ei danio pob dim wedi mynd i'r fath gawdel o achos yr orie ie orie dreulies i ar y ffôn ac ar wefannau diffygiol yn treial cael arian mas o'r bobol Universal Credit i ddechrau ac wedyn y banc yn cael fy mhasio mlaen o adran i adran pan wnes i riportio bod rhywun wedi dwgyd arian o 'nghyfrif personol dros ddwy fil o bunnau sef yr ofyrdrafft i gyd wedi mynd ond prin ges i'r cyfle

i weud unryw beth naill ai i'r banc am y twyll neu i'r bobol
Universal Credit a finne ddim yn trysto unrhyw wefan yn iawn
yn dilyn y lladrad o'm harian ac wedi syrthio rhwng dwy stôl yn
dechnegol yn hunangyflogedig ond ddim am ddigon hir i hawlio
tâl y llywodraeth oherwydd 'na'i gyd o'n i'n clywed gyda'r ddau
le gwahanol ar ochr arall i'r ffôn oedd 'Mae eich galwad yn
bwysig i ni' 'Mae eich galwad yn bwysig i ni' 'Mae eich galwad
yn bwysig i ni' fel rhyw diwn gron oedd yn hala colled arna i
achos oedd fy ngalwad ddim yn bwysig neu fydden i wedi
llwyddo i gael person o gig a gwaed i siarad â fi ar ryw bwynt
cyn yr awr a mwy gymerodd e i hynny ddigwydd 'se hynny'n wir
a hyd yn oed wedyn ges i 'mhasio mlaen i rywun arall a hwnnw
yn y diwedd yn colli'r cysylltiad yn gyfan gwbwl a finne bron â
danto'n llwyr ond yn ddigon desbret i ffonio'n ôl yn syth er
mwyn treial sortio'r sefyllfa a finne eto'n dilyn cyngor fy chwaer
bod llai o giw ar y ffôns Cymraeg ond pan es i drwyddo ryw
hanner Cymraeg hanner Saesneg ges i eto fyth ond fydde ddim
ots am hynny chwaith os fydde beth o'n nhw'n gweud yn neud
sens ond oedd e ddim yn gwneud unrhyw sens o gwbl yn gweud
bydde raid iddyn nhw edrych mewn i'r twyll yn fy nghyfrif banc
yn fanylach a rhoi crime number i fi a phopeth a falle bydde fe'n
cymryd rhai wythnosau cyn bod yr arian yn cael ei roi'n ôl yn y
cyfrif os o gwbl a'r 'os o gwbl' 'na loriodd fi yn dilyn yn dynn ar
sawdl pobol yr Universal Credit oedd moyn gweld adroddiad
cyfrifydd i gadarnhau fy enillion a finne'n gorfod egluro nad
oedd 'da fi unrhyw gyfrifydd ddim eto achos dim ond ers mis
Hydref pan golles i'n job yn y banc yn ardal Sgeti o Abertawe
o'n i wedi'i mentro hi i fod yn ddawnswraig hunangyflogedig
mynd amdani i ddilyn fy nghalon yn lle dilyn fy mhen a bod dim
modd profi fy statws gwaith eto gan nad o'n i wedi gweithio'n
ddigon hir fel dawnswraig er fues i'n lwcus iawn i neud prosiect
cymunedol dros Ragfyr a Ionawr ar ôl i fi gysylltu gyda Heulwen
hen ffrind o Gwmni Dawns Ieuenctid Cymru sy'n byw yn
Aberystwyth wnaeth hi helpu rhoi fi ar yr hewl fel petai yn
llythrennol hefyd achos mae gyda hi ei chwmni dawns ei hun

o'r enw Briwsion ac ar ôl neud 'Eira Mawr' y sioe gymunedol am luwchfeydd ac eira trwm gaeaf 1947 oedd wedi ei marchnata fel 'a cross between *It's A Wonderful Life* and *Bambi*' fan hyn yn y dre ar hyd yr harbwr gyda pheiriant eira a sgidie sglefrio y cwbwl lot oedd hi wedi trefnu taith o bedwar mis wedyn rhwng Ebrill a Gorffennaf yng Nghymru a rhannau o Loegr hefyd gyda sioe ddawns newydd o'r enw 'Twenty Seventy Vision' oedd wedi ei gosod yn y dyfodol gyda chymeriadau a delweddau o'r Mabinogi yn ailymweld â Chymru a finne ddigon lwcus i fod yn un o'r pedwar o ddawnswyr dan gyfarwyddyd Heulwen a gaethon ni'r sioe i fwcwl erbyn canol Mawrth yn iawn ware teg er bod e'n waith caled ofnadwy a diwrnodau'n hir yn ymarfer oedd yr amser wedi hedfan ac o'n i'n mwynhau pob eiliad yn gwerthfawrogi'r rhyddid i fynegi fy hun â'm corff ac yn wyrthiol yn cael fy nhalu am y fraint a hynny'n dilyn siom a rhwystredigaeth y job yn y banc achos dylen i heb fynd ffor' 'ny chwaith na ddim yn iawn achos dim ond neud e i blesio Mam wnes i ar ôl dropo mas o'r coleg a finnau ishe ennill arian a Mam yn gweud bod job yn y banc yn job for life er sa i'n credu bod unrhyw job yn job for life dyddie 'ma ddim i'n genhedlaeth i ta beth ac felly man a man dilyn eich breuddwydion a 'na beth wnes i a ddim difaru am eiliad achos o'n i wedi addo i'n hunan 'sen i'n treial neud go ohoni gyda'r dawnsio cyn bo' fi'n ddau ddeg pump a dyma fi'n pobi torth i gael mas yn yr ardd gyda'r marmalêd cartre wnes i fel rhwbeth hanner call a dwl ar ddechre'r Lockdown pan drodd y freuddwyd yn un hunlle mowr ac ie Marc neu'r Parchedig Marc o'n i'n galw fe pry'nny fe ro'th fi ar y trywydd iawn yn fodlon gwrando arna i am orie yn gweud dim mewn gwirionedd jyst syllu ar wal y festri yn y Banc Bwyd yn helpu fel gwirfoddolwr fel o'n i arfer neud yn Sgeti ond ddim lot o iws i neb yn jyst syllu ar y wal ac weithiau rhaid cyfadde yn syllu ar y graith anferth ar ochr wyneb Marc er bo' fi'n treial peidio ac oedd pawb wedi gweud dylen i fyth ofyn beth oedd achos y graith gan y bydde'r Marc rhadlon cymwynasgar arferol yn gyndyn iawn i'w drafod ac yn troi o fod

yn dedi-bêr anferth deunaw stôn i fod yn arth blin iawn ond ie
fe Marc lwyddodd i dynnu fi lawr o'r clogwyn yn fy mhen yn
wythnosau cynnar y Lockdown neu'r Clo Mawr fel o'n nhw'n
galw fe er mae rhai'n galw fe'n Gyfnod Clo nawr hefyd ar y
teledu a Marc wnaeth gyflwyno fi yn iawn i fachan oedd hefyd
newydd symud i fyw yn yr un stryd â fi sef Howie neu Bear
Essentials yw ei enw DJ achos bod ei deulu fe'n dod o Aberarth
a hwnnw hefyd yn gwrando'n amyneddgar ar fy stori rwystredig
gyda'r galwade ffôn ac yn wyrthiol yn troi 'Mae eich galwad yn
Bwysig i ni' yn gân wrth gymysgu pob math o gerddoriaeth
ddiddorol yn gefndir i lais y fenyw/peiriant oedd yn dweud 'Mae
eich galwad yn bwysig i ni' 'Mae eich galwad yn bwysig i ni'
drosodd a throsodd gyda'r fath gonsýrn ffals a'r consýrn
honedig hwnnw'n swnio'n fwyfwy ffals gyda phob ailadroddiad
ac yn fwy gwyrthiol fyth Marc a Howie'n 'y mherswadio fi i
ddawnsio i'r gân newydd a rhoi fideo lan ar YouTube and the
rest is history fel ma' nhw'n gweud ac ar ôl dathlu cael dros
ddeng mil o hits wythnos diwetha daeth Howie draw ddoe gyda
bwnsied o irises i fi ar fy mhen blwydd ac ma' fe'n foi od ar y
gore er yn rhyw fath o genius 'sbo ond mae'n dibynnu pryd
chi'n dala fe a beth ma' fe wedi cymryd achos os yw e mas o'i
ben ma' fe'n gweud y celwyddau rhyfedda fel sôn bod e newydd
ddod 'nôl o Siapan ar ôl seiclo lan Mynydd Fuji neu fod e wedi
bod ar daith ar gwch ar hyd afonydd Bangladesh cyn cysgu'n
rwff mewn coedwig mangrof yn aros yn amyneddgar i dynnu
ffoto o'r Teigr Bengali a phawb yn gwybod yn iawn fod e prin
wedi bod tu fas i Geredigion erioed ac yn byw 'da'i fam a'i dad
yn Aberarth ar hyd ei fywyd tan 'leni pan symudodd e mewn i'r
fflat dri drws lawr oddi wrtha i ond ta beth ddoe aeth pethe'n
rhemp a dyma fe'n troi'n gas braidd yn gweud bod yr holl sylw
ar YouTube wedi bod i'm dawns i a bod y gerddoriaeth gefndirol
sef ei gyfraniad e heb gael hanner y sylw haeddiannol o'i
gymharu â'r sylwadau ar y cyfryngau cymdeithasol ges i am fy
blydi danso a falle bod hynny'n wir ond dim bai fi yw hynny a
wnes i weud wrtho fe rhyddhau cerddoriaeth y ddawns fel sengl

'te achos bydde'r sylw oedd y dawnsio wedi cael yn siŵr o helpu unrhyw werthiant a wedyn troiodd e'n gas 'to yn gweud bydden i moyn cyt o'r profits ar unrhyw sengl hefyd 'sbo ac o'n i ddim wedi gweud dim byd o'r fath a ta beth jyst ar yr adeg oedd e'n troi'n gas a chodi ei lais arna i pwy ddaeth mewn i'r ardd ond Marc fel rhyw shining knight in armour ac er tegwch i Marc fe drïodd e resymu gyda Howie i ddechre ond achos oedd hwnnw mas o'i ben wnaeth e alw Marc yn Zorro oherwydd y marc sef y graith ar ochr wyneb Marc ac os do fe 'te dyma Marc yn llythrennol yn pigo Howie sy'n edrych fel llygoden fawr ond ddim yn pwyso lot mwy na fi achos ma' fe ar y drygi diet dyma Marc yn pigo fe lan a chario Howie lawr yr ale ar ochor y fflat a mas i'r stryd a finne'n dilyn y ddou ohonyn nhw a Marc yn dympio Howie mewn sgip groes yr hewl ac yna'n cymoni ei wallt hir ac yn gweud shwmae wrth Nerys Rees a'i mab Owain fel 'se towlu rhywun mewn i sgip yn rhywbeth hollol normal i weinidog 'i neud a Nerys yn gweud shwmae yn ôl ac Owain yn wên fowr o glust i glust a'r ddou ohonon ni'n mynd 'nôl i'r ardd wedyn a dyma Marc hollol o dan reolaeth eto yn cynnal gweddi nid yn unig yn dymuno y bydde ein cyfaill Howard Jenkins yn gweld ei gamwri wrth fod mor anfoesgar i mi ond yn gofyn i Dduw fadde iddo ac wedyn gofyn i Dduw gael lle arbennig yn Ei galon heddiw ar ddydd ei pen blwydd i Anna Rowlands ac wedyn Marc yn mynd ymlaen i weddïo ar ran yr holl deuluoedd oedd yn diodde yn y Byd oherwydd Covid-19 ond ei fod e'n grediniol hefyd taw cyfle oedd y feirws i ailosod y Byd ar drywydd tecach gan roi rhyw ysgytwad angenrheidiol iddo ac oedd Marc yn llawn gobaith y daw daioni o'r düwch presennol a heb air o gelwydd dyna oedd un o'r pethe mwya secsi i fi glywed erioed yn bennaf oherwydd diffuantrwydd heintus Marc a'i olwg amrwd yn gyfuniad o Robbie Coltrane a Meatloaf a Bryn Terfel a'i lygaid yn disgleirio â didwylledd teimladwy ac wrth gwrs roedd hi'n brynhawn Gwener poeth ac arweiniodd un peth at y llall ond er 'mod i'n gweud wrth gwrs doedd dim byd yn anochel am y peth chwaith er bod ein cyfeillgarwch wedi blodeuo dros gyfnod y Lockdown pan golles i hanner stôn yn mynd o ddim o beth i rwbeth llai fyth size eight lawr i size six a Marc yn mynnu 'mod i ddim jyst yn rhoi'r bocsys tri diwrnod o fwyd mas i ddifreintiedig y dre ond yn cymryd bocs fy hunan ac yn trefnu taflen swyddogol trwy'r Citizen's Advice Bureau i fi gael y bocs bwyd tri diwrnod sef un llysieuol yn fy achos i yn rheolaidd ac oedd hynny o edrych 'nôl yn bendant yn rhyw fath o drobwynt i fi a'i anogaeth e i fwrw mlaen gyda'r dawnsio hefyd yn hwb i'm hyder ond o'n i byth yn meddwl bydden i'n datblygu perthynas gyda fe a ni'n dou mor anghymharus ar un olwg nid yn unig o ran maint ond o ran oedran gyda Marc ddeng mlynedd yn hŷn na fi ond pnawn ddoe wnaeth y gwin lifo a'r heulwen wenu a'r bara llysieuol ffres o'r ffwrn ffyrnigo fy chwant er i'r marmalêd wedi ei wneud gyda gelling agent llysieuol ddriblan lawr ochr fy ngheg ar un adeg fi wnaeth groesi'r llinell gyntaf trwy dorri pob rheol Lockdown ac nid yn unig mynd yn agos at Marc a'i wyneb rhyfelwr ond ei gusanu ac ynte'n fy nghusanu i'n ôl yn frwd a bennon ni lan yn y gwely sef y gwely wy'n gorwedd ynddo nawr fore trannoeth yn teimlo rhyw ddedwyddwch newydd sy wedi fy synnu ac yn gwrando ar Marc yn paratoi coffi i ni'n dou yn fy nghegin bob amser yn meddwl am rywun arall ac yn barod ei gymwynas ac wy'n gwenu o gofio ein sgwrs hwyr i berfedd y bore dros sawl dracht o frandi Ffrengig brynes i fel trît pen blwydd gyda'r arian sydd wedi dod trwyddo o robotiaid yr Universal Credit o'r diwedd a'r twyll yn fy nghyfrif banc wedi ei dderbyn hefyd diolch i ambell alwad ffôn ychwanegol a Marc eto'n gwneud y pwynt yn glir ond yn gadarn bod fy mhrofiad erchyll i gyda'm galwadau ffôn a'm gwefannau diffygiol yn dangos yn gwmws pam fod rhaid i'r Byd newid a dangos mwy o synnwyr cyffredin yn y bôn a bod ffactorau cymdeithasol pwysicach i'w hystyried na jyst gwneud arian wy'n cofio iddo sefyll ar ei draed a bloeddio 'ni allwch wasanaethu Duw a Mamon' ar un adeg ond yn hwyr y nos gaethon ni laff hefyd wrth i Marc sôn am rai o'i braidd sef yr aelodau mwyaf ecsentrig gan gynnwys un ffermwr sy'n cael rhyw reolaidd gyda'i dractor ac yn hoffi John Deeres gwyrdd yn enwedig a bod y rheiny'n troi ei ben-glinie'n jeli ac fe holodd e Marc mae'n debyg a oedd e'n pechu yn cael y fath deimladau am beiriant a'r ddau o' ni'n chwerthin nerth ein penne a bu Marc yn sôn amdana i hefyd pan gyrhaeddes i'r dre 'nôl yn Nhachwedd a chynnig yn syth i helpu fe a'r criw yn y Banc Bwyd yn y festri a'r ffordd oedd e wedi sylwi ar ei union fod rhwbeth arbennig angylaidd bron amdana i a'r hyn oedd e'n dwlu amdana i oedd fy mod i'n fwndel astrus ie yn fwndel astrus wedodd e o wrthgyferbyniade sef yn fenyw ymddangosiadol fregus yn gorfforol oherwydd fy maint (pum troedfedd union) ac eto yn dwyllodrus o wydn a chyhyrog a chryf ac wedyn canfod bod yr un peth yn wir amdanaf yn feddyliol yn ogystal ar y dechre yn taro person fel rhywun tawel hyderus ond yn gallu bod yn fregus iawn yn feddyliol wy'n credu'r gair vulnerable defnyddiodd e mewn acen gref Canolbarth Lloegr oedd eto yn secsi i fi mewn ffordd od ac er o'n i wedi addo i'n hunan i beidio gofyn wnes i ofyn i Marc am y graith a dyma fe'n sôn iddo gael ochr ei wyneb wedi ei drywanu a'i rwygo gan gyllell siarp pan oedd e oedran fi ac yn aelod o gang dosbarthu cyffuriau yn Birmingham a bod e wedi cael dros saith deg o bwythe yn ochr ei wyneb ac wrth iddo fe glywed fy ochenaid llawn cydymdeimlad a fy ngolwg ofidus dyma fe'n cydio yn fy llaw ac yn fy sicrhau taw dyna oedd y peth gore ddigwyddodd iddo fe erioed achos oedd e'n wake up call iawn neu'n alwad dihuno fel wedodd Marc ag yntau yr un pwysau â'i oedran ar y pryd sef dau ddeg pedwar stôn mor dew yn wir oedd e'n gallu neud tricie yn cwato pensilie yn yr haenau trwchus o fraster oedd yn peryglu ei iechyd a gath e ei alw at Dduw yr union wythnos honno dyna oedd gogoniant y peth hynny yw fe glywodd e lais dwyfol yn ei alw ac os fyddech chi'n nabod Marc fyddech chi'n gwybod nad yw'n bosib iddo weud celwydd ma' fe jyst yn diferu o ddiffuantrwydd felly wy'n credu wedes i waw i hyn a gadael fy ngheg ar agor fel rhyw bysgodyn aur syn ond wedyn wy'n cofio fe'n egluro bod e'n cael pylau o amau Duw

hefyd a bod 'wn i ddim' yn safbwynt da am nifer o bethau
oherwydd nid oes gwybod i sicrwydd dim ond ffydd a bod e'n
meddwl bod dogn bach o amheuaeth mewn gweinidog yr
efengyl ddim yn beth ffôl ac yn ei wneud yn fwy dynol ac wy'n
cofio meddwl gallwn i wrando ar ei lais dwfn a'i acen
amaethyddol Ceredigion am byth a nawr wy'n clywed y tostiwr
yn pingio draw yn y gegin ac wy'n disgwyl yn eiddgar iddo
ddychwelyd i'm hystafell wely ac er o'n i heb feddwl mewn mil
o flynyddoedd y bydden i'n cael perthynas gyda gweinidog â
chefndir lliwgar o Birmingham ac ein bod ni ar un olwg yn
edrych yn hollol anghymharus mae gen i deimlad da am y
dyfodol a hei falle daw rhwbeth da o'r Clo Mawr hyn wedi'r
cwbwl wn i ddim.

# Croeso 'Nôl

Dy'n nhw ddim yn deall pam nad ydw i eisiau mynd mas. Mae Meirion yn mynnu dod i'r drws neu lan ata i os yw'r ffenest ffrynt ar agor. Mae'n dweud trwy'r adeg fod pethau wedi llacio nawr. Pam nad af i am wâc fach? Gallech chi neud tro â bach o aer y môr, Mam. Neu mae Carys ar ei ffordd i'r gwaith yn esgus digwydd fy ngweld i yn y ffenest, yn gofyn a ydw i angen rhywbeth. A'r tri ŵyr, Neil, Lloyd a Steffan, yn dod â'r trugareddau rhyfedda i fi mewn bagiau byth a beunydd, fel y Doethion. Dim ond yr ieuengaf, Cadi, sy'n gwrando arna i. Ody e'n ormod i ofyn? I rywun fy oedran i, i gael bach o lonydd?

Mae'n debyg bod hawl gyda fi nawr i adael rhai aelodau o'r teulu mewn i'r tŷ. Wy ddim eisiau. Wy wastad wedi bod yn un annibynnol iawn, hyd yn oed pan oedd Vernon yn fyw. 'Sdim sens bod rhywun yn treial dweud wrtha i beth i neud ar fy aelwyd i'n hunan. Wy wedi byw yma ar hyd fy oes am naw deg pedwar o flynyddoedd.

Wy'n iach fel cneuen. Fel y Frenhines. Mae pobol wedi dweud fy mod i'n debyg iddi o ran golwg, er wy dipyn yn dalach na hi a falle mymryn yn dewach yn fy wyneb. Ry'n ni'r un oedran hefyd. Tri mis sy rhyngom ni. Wy yn Ionawr ac mae hi yn Ebrill, er bod ganddi hi ben blwydd swyddogol arall hefyd ym Mehefin. 'Na beth dwl. Nid fy mod i'n meddwl amdani ryw lawer. Dim ond fel cyd-fam neu gyd-fam-gu, efallai. Mae hi wedi cael lot mwy o drafferth gyda'i theulu hi nag ydw i gyda f'un i.

Ddylen i fod yn ddiolchgar, ynta. Wy wedi itha licio'r Clo Mawr. Mae e wedi fy atgoffa i o fel oedd y dre'n arfer bod pan o'n i'n groten. Mor dawel. Lle i ymlacio. Mae Natur wedi dychwelyd yn ei holl ogoniant. Adar bach wy heb eu gweld ers blynyddoedd wedi mentro eto i'r ardd. Toreth o ieir bach yr haf. Un noswaith, a finnau wrth y ffenest ffrynt fel arfer, gwelais gadno hardd yn symud yn dorsyth o dalog ar draws y sgwâr, yn gwmws fel pe bai'n mynd am beint at Eifion yn Yr Angor.

Mae parcio car yn gallu bod yn fwrn ac yn amhosib yn ystod y tymor ymwelwyr. Wy'n rhoi fy nhair garej ar ochr Cwrt Heli ar rent ac wedi gwneud hynny ers blynyddoedd. Wy'n ddigon hen i'w cofio fel ystablau. Yn blentyn byddwn wrth fy modd yn mynd draw at y gof gyda fy mrawd Ifor, tu ôl i lle saif y Llyfrgell nawr. Byddai hen ddynion yno'n ysmygu eu cetynnau, yn twymo wrth y tân. Byddem i gyd yn gwylio'r gwreichion toddedig yn goleuo awyr y gaeaf wrth i Enoch Evans bedoli'r ceffylau. Nawr ac yn y man byddai'r dynion yn poeri yn y tân. Er mawr ddigrifwch iddyn nhw byddai Ifor a minnau'n poeri hefyd, gan deimlo'n real oedolion.

Oherwydd fy oedran o'n i i fod yn rhan o'r cynllun gwarchod ac aros mewn yn ystod y Clo Mawr. Fydden i wedi gwneud hynny ta beth. Felly yn swyddogol alla i ddweud wrth Meirion nad oes hawl gyda fi i fentro mas eto. Poeni am fy iechyd meddwl mae e. Wy'n dweud dro ar ôl tro 'i bod hi'n fwy peryglus byth i fynd mas nawr, gyda phobol ar y cyfan yn llai gofalus. Os ydw i'n onest nid jyst y feirws sy'n fy nghadw i adre. Y torfeydd sy'n heidio yma yn eu cyfer unwaith bydd yr ysgolion wedi cau sy'n gwneud hynny. I stwffio'u hunain yn llawn sglodion a hufen iâ. I adael eu sbwriel ymhobman. Eu sŵn, eu hymddygiad rhemp, mae e'n mynd yn waeth ac yn waeth bob blwyddyn.

Mae eleni hyd yn oed yn fwy o her. Mae'r Cyngor fel petaen nhw'n mynd mas o'u ffordd i blesio'r twristiaid. Maen nhw wedi rhoi arwyddion glas lan ymhob twll a chornel. Wy'n gallu gweld chwech ohonynt o ble wy'n eistedd yn fy nghadair wrth y ffenest yr eiliad yma. 'Croeso Nôl i Geredigion.' Mae pedwar o weithwyr y Cyngor yn eu siacedi melyn llachar yn cau yr hewl.

Maen nhw'n gosod baricedau er mwyn atal unrhyw draffig, mewn ymgais i droi'r ardal yn fan cerdded yn unig. 'Arbrawf' mae'r Cyngor yn ei alw ar eu tudalen Facebook.

Wy'n ei alw'n warth. 'Dyn nhw ddim wedi sylweddoli beth sy'n dod. Unrhyw funud nawr byddan nhw'n dod i lawr y rhiw mewn i'r dre yn waeth nag erioed o'r blaen. Mewn i'n tref hardd fel haid o fyfflos. Yn cael eu gadael i redeg yn wyllt, heb unrhyw draffig na threfn. Yn cael neud fel y mynnan nhw. Ac nid dim ond y giwed afreolus arferol. Eleni fyddwn ni'n siŵr o gael ein siâr o'r Prydeinwyr Tramor anwaraidd yn ogystal. Llabystiau Magaluf ac Ibiza. A gwaeth, llawer gwaeth. Wy'n eu synhwyro nhw yng ngwynt y môr wrth fy ffenest agored, sy'n fy hoelio â'i halen disgwylgar. Mae blas hallt y diafol yn bygwth o bellter yn yr awel fain.

Mae fy arf cudd gen i yn barod amdanynt, yn y drâr, fodfeddi oddi wrth fy llaw dde. Byddai Vernon yn falch ohonof.

Wy'n gwybod yn iawn beth maen nhw'n fy ngalw i. Enid y Spy. Rhaid cyfaddef eu bod nhw'n iawn. Mi ydw i'n gydiwr cyrtens. A dyw e ddim yn helpu fy mod i weithiau'n defnyddio sbienddrych. Welaf i ddim byd o'i le ag e. Wy'n gwybod popeth sy'n werth ei wybod am y dre hon. Mae'n anhygoel cymaint chi'n ddysgu am eich cymdogion jyst trwy gadw eich llygaid ar agor a'ch pen i lawr. Gwylio chwiwiau hynod ein rhywogaeth ffaeledig.

Mae pobol yn dwlu clywed clecs. Ers i Vernon farw bron i ugain mlynedd yn ôl cloncian yw fy hobi. Mae pobol yn y dre'n gwybod fy mod i'n gwybod beth sydd werth ei wybod am bawb sy'n byw yma. Maen nhw'n gwybod y galla i fod yn synhwyrol hefyd. Rhywun y gallan nhw ymddiried ynddi. Wy wedi dysgu taw'r ffordd orau i ddweud rhywbeth am rywun yw bod yn awgrymog. Gwell byth os fedrwch chi gael y person i ddod i'r casgliad cywir heb yngan gair eich hunan. Ael wedi ei chodi fan hyn, gwyriad cynnil o'r pen fan draw, edrychiad chwilfrydig. Mae'r rhain i gyd fel aur i'r clonciwr o fri.

Mae gen i deimlad ym mêr fy esgyrn bod yr wythnos nesaf

hon yn mynd i fod yr hyn a alwai Vernon yn newid gêr hanesyddol. Symudiad ym mhlatiau tectonig bywyd rhywun. Ni fyddai'n cynnwys defodau pwysig cyffredin fel priodi neu roi genedigaeth. Golygai Vernon rywbeth fyddai'n rhoi prawf ar eich cymeriad mewn ffordd annisgwyl, cyfle i ddangos eich gwir anian i'r byd.

Fel y Frenhines, roeddwn i hefyd yn fy arddegau yn ystod yr Ail Ryfel Byd. Er i mi deimlo'n ofnus ac er i mi adnabod nifer o'r dynion ifainc o'r dre fu farw, ni allaf ddweud bod fy nghymeriad wedi cael ei brofi. Yr agosaf ddes i at unrhyw berygl oedd pan aeth peilot Almaenig yn sownd yn ei barasiwt mewn coeden ar dir fferm fy modryb. Roedd y profiad o fod yn y ffermdy ar y pryd, er na chefais weld achos y trybini, yn un cyffrous yn hytrach na phoenus.

Ac yntau saith mlynedd yn hŷn na mi, cafodd Vernon ryfel hollol wahanol. Cafodd pobol y dre yr argraff iddo wasanaethu'n anrhydeddus yn y Llu Awyr ac roedd hynny yn ei siwtio i'r dim. Roedd y gwir yn wahanol iawn. Bu Vernon yn aelod o'r Intelligence Corps, yn gweithio'n gudd ym mherfeddion Ffrainc. Yn wahanol i Enid y Spy bu Vernon yn ysbïwr go iawn. Roedd hynny'n rhywbeth na soniodd amdano erioed bron iawn, hyd yn oed wrtha i.

Ddegawdau yn ddiweddarach, wedi i mi ddwyn perswâd arno i ddefnyddio ei Ffrangeg, aethom fel teulu ar ein gwyliau i ardal y Dordogne. Un noson, wrth iddo lanhau'r barbeciw, sylwais ei fod yn llefain y dŵr, yr unig dro i mi ei weld yn crio erioed. Y mwyaf y llwyddais i lusgo mas ohono fe oedd ei fod wedi lladd sawl person ac, yn arwyddocaol, fod yna bobol a fu'n agos iddo fe, pobol ifanc ym mlodau eu dyddiau roedd Vernon wedi dibynnu arnynt am ei fywyd, hefyd wedi trengi. Cafwyd yr awgrym lleiaf posib bod camgymeriadau wedi eu gwneud, camgymeriadau Vernon. Ni lwyddais i fynd at wraidd hyn o gwbl, yn rhannol oherwydd nad oeddwn i'n siŵr iawn fy mod i am wybod mwy. Ni ddychwelodd Vernon erioed i Ffrainc.

Yn ein hanterth buom yn gwpwl euraidd, bob amser yn cael ein gwahodd i unrhyw ddigwyddiad o bwys yn y rhan yma o'r byd. Gwnaethom gyfarfod â'n gilydd mewn gyrfa chwist yn y neuadd leol ym mil naw pum deg pedwar. Roeddwn i'n wyth ar hugain ar y pryd ac â'm golygon ar fod yn Bennaeth yr Adran Saesneg yn ysgol uwchradd y dre. Wedi'r Rhyfel ail-hyfforddodd Vernon fel peiriannydd sifil yng Nghwm Rhondda ei gynefin. Roedd newydd gael swydd yn Adran Beirianneg Sifil Ceredigion pan gwrddais ag ef.

Ar y dechrau roedd Mam yn meddwl 'i fod e lot rhy hen i mi. Newidiwyd ei meddwl yn weddol glou wedi iddi ddod i adnabod ei natur ffein a'i swyn naturiol. Cafodd Emlyn, ein mab hynaf, ei eni ym mil naw pum chwech a symudodd e i Sheffield, lle magwyd ei wraig, Rachel. Gweithiodd i gwmni yswiriant yn y fan honno nes iddo ymddeol yn gynnar gwpwl o flynyddoedd yn ôl.

Ganwyd Meirion bedair blynedd yn ddiweddarach ac mae e wedi aros yma, gan sefydlu cwmni arwerthwyr tai Griffiths & Edwards gyda'i gyfaill, Rhodri Edwards. Gwnaed Carys, ei wraig, yn bartner yn y cwmni ar droad y ganrif newydd. Erbyn hyn mae eu mab ieuengaf, fy ŵyr, Steffan, yn gweithio i gwmni'r teulu hefyd. Fel ei dad, mae e wedi etifeddu nodwedd y teulu Griffiths o wybod pryd i gau ei geg, peth defnyddiol iawn i unrhyw werthwr tai.

Soniaf am y cefndir hwn er mwyn egluro fy mod i'n fam ac yn fam-gu mewn teulu pwysig, sefydliad sydd ag enw da. Mae pobol yn gwybod y gallan nhw ddibynnu arna i, bron fel offeiriad Catholig.

Dyna pam nad oedd unrhyw beth allan o'r cyffredin mewn rhywun cymharol amrwd fel Jim Hughes yn dod lan ata i yn unswydd ar nos Wener y Groglith dwy fil ag un deg naw. Noson draddodiadol troi goleuadau llwybr yr harbwr ymlaen oedd honno ac roedd Jim am ofyn cwestiwn penodol i mi mewn ffordd benodol iawn.

'Noswaith dda, Mrs Griffiths,' dechreuodd, gan gyffwrdd â'i

gap pig a phlygu lawr o'i uchder mawr i'm lefel i. Wy dal yn 'Mrs Griffiths' i'r rhelyw o bobol y dre, hyd yn oed i'r rhai na ddysgais i nhw, er fy mod i wedi ymddeol o'r ysgol mor bell yn ôl â mil naw wyth chwech.

'Noswaith dda,' mentrais yn ôl.

Craffodd arna i'n ddwys o dan oleuadau llachar yr harbwr oedd yn crynu yn y gwynt ac yn gwneud sŵn clychau. Roedd yn amlwg fod ganddo rywbeth pwysig i'w ddweud.

'Odych chi'n cofio dyn lleol o'n nhw'n galw'n Hymff?'

'Ydw,' atebais yn ofalus, heb ddatgelu dim byd.

'Ddyle fod diddordeb 'da fi ynddo fe?'

Gwyddwn yn syth beth oedd bwriad ei gwestiwn. Roedd yn rhaid i mi fod yn ofalus ond yn driw iddo fe hefyd. Adroddodd Olwen, mam druan Jim, ei hanes cythryblus hi i mi yn hwyr un noson dwym o haf, noson y Carnifal, pan fu'n fenyw ifanc dan orthrwm yr Hymff hyn, yn gwybod y bydden i'n wrandäwr da iddi, yn llawn cydymdeimlad. Yn medru cadw ei chyfrinach. Fe'i beichiogwyd hi yn yr amgylchiadau gwaethaf posib cyn i'r dyn, Hymff, ffoi dramor. Roedd sôn ei fod e wedi dychwelyd yn ddiweddar, i fyw mewn pentref cyfagos.

Mentrais ddefnyddio'r hen dric. Codais fy aeliau. Parhaodd Jim i graffu'n oeraidd. Yn amlwg doedd hyn ddim yn ddigon da.

'Ydw, wy'n credu falle dylech chi fod â diddordeb ynddo fe,' atebais.

Amneidiodd a diolch i mi, gan barhau i graffu arna i â'i lygaid oeraidd annarllenadwy yr holl amser. Yna cerddodd i ffwrdd yn frysiog i gyfeiriad gwesty'r Glan-y-Môr.

Wrth iddo gerdded bant sylwais fod ganddo union yr un osgo anffodus â'i fam, Olwen, yn gwthio'i ben ymlaen ac yna'i dynnu'n ôl eto wrth gerdded, a wnâi iddo edrych, er gwaetha'i daldra, fel pe bai'n dynwared iâr.

Yn ôl wrth fy ffenest anelaf fy sylw unwaith eto rhwng y cactws llychlyd a'r geranium cyfarwydd ar y sil. Sylwaf fod lorri Cyngor wedi cyrraedd tu fas a bod hyd yn oed mwy o weithwyr wedi eu gwisgo yn y siacedi melyn yn prysuro ar y brif stryd, gan gyflawni amryw o fesuriadau. Teimlaf fy stumog yn troi, yn llawn ieir bach yr haf. Nerfau, dim byd mwy ynta. Er hynny, roedd y profiad wedi fy atgoffa fod Mam wedi marw yn ei nawdegau o gancr yr ofarïau. Edrychai'n feichiog chwyddedig erbyn y diwedd, druan â hi.

Na, mi ydw i'n gryf yn gorfforol. Efallai fod Meirion yn iawn, nad ydw i cweit mor gryf yn feddyliol. Mae dryll Ail Ryfel Byd Vernon gen i, wedi ei lwytho, o fewn modfeddi i fy llaw dde ac rydw i'n barod i'w ddefnyddio os bydd rhaid. Roedd Vernon yn dwlu ar America. Byddai wedi ei arswydo o weld Donald Trump ond gallai'r ddau gytuno ar un peth. Roedd e'n gefnogwr brwd o'r Second Amendment, yr hawl i gario arfau. Twyllodd yr awdurdodau Prydeinig gan ddweud bod ei ddryll wedi cael ei ddwgyd oddi arno yn Ffrainc. Byddai'n mynd i goedwig anghysbell ger Abergwesyn o bryd i'w gilydd i'w danio, i sicrhau ei fod yn gweithio'n iawn. Wnaeth e hyd yn oed ddangos i mi sut i lwytho'r bwledi niferus a gadwai mewn hen friff-cês yn yr atig. Dyna oedd ein cyfrinach ni.

Gallaf ei weld nawr yn fy nghof, yn ôl ar droad y mileniwm newydd, yn ysmygu sigâr fawr yn yr ardd fan hon yng Nghwrt Heli, yn dal fy llaw yn dynn, yn becso am ddyfodol ein hwyrion. Er mor hurt y swniai ar y pryd roedd Vernon wedi ei argyhoeddi y byddai dim byd llai na Rhyfel Cartref ar ryw bwynt yn y ganrif hon ym Mhrydain. Cafodd gysur mawr o wybod y byddwn i o leiaf yn medru amddiffyn fy hun os nad oedd e o gwmpas. Trodd yr elfen honno o'i araith fach i fod yn un broffwydol yn hynny o beth, gan y bu farw yn ei gwsg o fewn y flwyddyn o drawiad ar y galon.

Wrth i mi bendroni am feddyliau Vernon fe geisiaf ffocysu eto ar yr hewl tu fas i'm ffenest. Sylwaf ar Gwenllian Morgan, Gwenllian O'Connell nawr, yn cario torth. Mae hi draw o Wexford i weld ei thad anhwylus, Teifi. Mae hi'n dal llaw crwt gwallt coch nobl. Mae'n rhaid taw Colm, ei phlentyn hynaf, yw e. A co' Eluned Williams nawr, wedi ei gwisgo'n rhy lliwgar fel arfer, gyda'i mwgwd hyd yn oed mewn patrwm gor-brysur o binc a glas a gwyrdd, yn hastio ar hyd y pafin. Mae hi ar y ffordd i gift shop ac oriel gelf ei gŵr, sydd ddim wedi neud yn dda iawn eto ers iddo ailagor. Bydd yn fwy aflwyddiannus fyth unwaith ddechreuan nhw dario'r pafin tu fas i'w fusnes. Bydd hynny'n troi'r hewl mewn i stryd un ffordd yn unig a bydd ddim modd i unrhyw un barcio tu fas. Fe gollodd Eluned ei mam yn ddiweddar, wedi iddi ddal Covid-19 mewn cartref preswyl yng Nghaerdydd, mae'n debyg.

Cerdda ffrind Cadi, Gwen, heibio nawr ac mae hi'n gwenu arna i'n wresog, mas o wynt â'i mwgwd yn ei llaw. Mae hithau hefyd ar hast. Mae hi wedi cael swydd dros yr haf yn siop sglodion Cambrian ac mae'n hwyr ar gyfer ei shifft. Mae hi bron â tharo mewn i Alys Reynolds, sy'n cerdded yn ara deg gyda'i mam, Marian, ar y pafin.

Wedyn dyma fe, reit o'm blaen. Y dyn wy angen siarad ag e. Galwaf ei enw wrth iddo fynd heibio.

'Jim!'

Mae e'n stopi, ddim yn siŵr sut i ymateb. Tynnaf y ffenest i lawr rhyw fymryn. Daw Jim draw, dim unrhyw sôn o fwgwd yn agos iddo fe.

'Mrs Griffiths?'

'Wy'n cymryd bo' chi wedi gweld y *Cambrian News* wythnos 'ma?' gofynnaf, gan astudio'i ymateb yn fanwl.

'Pa ddarn, yn gwmws?'

'Y corff a ddaeth i'r lan. Hymff.'

Unwaith eto nid yw'n dangos fawr o ymateb. Caf fy nhemtio i ofyn a wnaeth e gwrdd â'r Hymff hyn ar ôl i ni ei drafod. Diolch i'r drefn, mae e'n darllen fy meddwl.

'Wnes i byth ddod i'w nabod e, wedyn. Wnaethon ni erioed gwrdd,' meddai, gyda rhyw ruddin o'r hyn a swniai i mi fel gwirionedd yn ei lais.

Teimlaf don o ryddhad o glywed hyn.

'Lladd ei hunan ma' nhw'n meddwl. Mae'r feirws hyn yn

ofnadw, 'chwel, Mrs Griffiths. Hyd yn oed os chi ddim yn dala fe, ma' fe'n mynd tu fewn i'ch pen chi. Whare 'da'ch meddwl chi, yr unigrwydd, ife.'

'Ie, trueni mawr. 'Na fe, mae'r pethe hyn yn digwydd, on'dyn nhw, yn anffodus.'

'Digon gwir Mrs Griffiths. Cymerwch ofal.'

Cerdda Jim Hughes bant a theimlaf yr ieir bach yr haf yn siffrwd yn fy stumog. Mae'n amser i mi gael fy *siesta* bach dyddiol. Caeaf y ffenest a setlo yn fy nghadair, gan geisio cau sŵn injan lorri'r Cyngor a chrawcian y gwylanod allan o 'mhen.

Er ei fod yn ddyn diwylliedig ni fu fawr o ddiddordeb gan Vernon yn y farddoniaeth a ddysgais yn yr ysgol. Campau mawr peirianneg neu bensaernïaeth fyddai'n mynd â'i fryd e. Byddem wastad yn cynnwys pontydd ysblennydd a nifer o adeiladau cyfoes yn ogystal ag eglwysi cadeiriol yn ein harlwy bob gwyliau'r haf gyda'n gilydd. Tra byddwn i'n cynhyrfu o weld rhyw linell newydd wych o farddoniaeth byddai Vernon yn cyffroi drwyddo wrth geisio dyfalu yr union gyfanswm o goncrit fyddai ei angen i atal rhyw bont neu'i gilydd rhag syrthio.

Yr un eithriad oedd cerdd enwog W.B. Yeats, 'The Second Coming'. Er nad oedd Vernon yn ddyn crefyddol canfu'r gerdd yn un gynhyrfus, broffwydol, hunllefus, apocalyptaidd hyd yn oed. Fel yn wir y teimlaf innau amdani.

Meddyliaf am y gerdd wrth i mi lithro'n dawel i 'nghwsg, gyda phethau'n chwyrlïo allan o reolaeth. 'Things fall apart; the Centre cannot hold; Mere anarchy is loosed upon the world.'

Dihunaf gyda naid fach sydyn, wedi fy neffro gan sŵn drilio yn yr hewl tu fas. Edrychaf allan a sylwi bod llwyth o dar wedi ei arllwys tu fas i siop sglodion y Cambrian. Ymhellach lan gwelaf weithiwr yn drilio yn yr hewl. Wy ar bigau'r drain, fy stumog yn troi. Dychmygaf lawfeddyg yn ceisio trin rhyw dwymyn yn y dyfodol, gan ryddhau nid haid o ieir bach yr haf o'r bola ond un ystlum sinistr.

Cofiaf yr hyn ddywedodd Jim Hughes am y feirws, y ffordd mae'n gallu meddiannu'ch pen, chwarae gyda'ch meddwl, yr unigrwydd. Ceisiaf beidio meddwl am yr hyn wy'n gwybod sy'n wir. Bod Jim Hughes yn ddyn peryglus. Mae 'na fwy ohonynt, cannoedd yn fwy, ar eu ffordd. Maen nhw'n dod fan hyn. Wy'n gallu arogli'r sylffwr arnynt, yn gallu clywed bygythiad eu clustiau siâp ystlum yn fflapio.

Mae angen i mi fynd mas. Rhaid i mi siarad gyda phobol. Dyw e ddim yn saff. Mae'n beryglus iawn. Ceisiaf wrando ar ychydig o gerddoriaeth ysgafn ar Radio 2. Mae rhywun yn canu 'What's that coming over the hill? Is it a monster, is it a monster?' Gwelaf hyn fel argoel ddrwg ac wy'n diffodd y radio mewn panig, bron â'i tharo oddi ar y silff.

Ceisiaf ganolbwyntio. Mae hyn i gyd yn rhan o'r prawf. Mae e wedi cychwyn yn barod.

Rwy'n treial setlo'n ôl yn fy nghadair, yn gwylio'r byd a'r betws yn mynd heibio fy ffenest. Teimlaf y byd yn cau o'm cwmpas, y barbariaid wrth ymyl y gât. Cadwn y môr rhag y bwystfilod a'r fan hon, fy nhref hardd, rhag eu baw. Teimlaf yn fyw iawn, ar flaenau fy nhraed, yn effro wyliadwrus, yn barod i basio fy mhrawf, i hedfan drwyddo. A Serennog.

Wy'n barod i wynebu beth bynnag a ddaw, fy nryll yn y drâr nesa ata i, yn hofran yn ddisgwylgar i wynebu beth bynnag fydd yn ymlwybro'n wargrwm tuag at fy annwyl dref, tuag at fy Methlehem i i'w geni.